DRWS ANNA

Drws Anna

Dafydd Apolloni

Argraffiad cyntaf: 2024
ⓗ testun: Dafydd Apolloni / Gwasg Carreg Gwalch

ISBN clawr meddal: 978-1-84527-911-0

ISBN elyfr: 978-1-84524-600-6

CYNGOR LLYFRAU CYMRU

Cyhoeddwyd gyda chymorth Cyngor Llyfrau Cymru

Cynllun y clawr: Almon
Llun clawr: Dafydd Apolloni

Cyhoeddwyd gan Wasg Carreg Gwalch,
12 Iard yr Orsaf, Llanrwst, Dyffryn Conwy, Cymru LL26 0EH.
Ffôn: 01492 642031
e-bost: llyfrau@carreg-gwalch.cymru
lle ar y we: www.carreg-gwalch.cymru

Argraffwyd a chyhoeddwyd yng Nghymru

Er cof am Nain a Taid,
a'r haul a dywynnai drwy ffenestri Maes Teg.

Gyda diolch i Wasg Carreg Gwalch, ac yn arbennig i Nia am ei chyngor a'i gwaith golygu gwerthfawr.

Cette vie est un hôpital où chaque malade est possédé du désir de changer de lit.
Ysbyty ydi'r bywyd hwn, lle mae pob claf wedi'i feddiannu gan y dyhead i newid gwely.

Charles Baudelaire, *Le spleen de Paris*

"...Dewch, disgynnwn, a chymysgu eu hiaith hwy yno, rhag iddynt ddeall ei gilydd yn siarad."

Genesis 11, 7

RHAN 1

1
Drychau

Dychmygwch hyn – cyfieithodd Iestyn Llwyd yng ngolau'r lamp yn yr oriau mân – dyn yn camu oddi ar y trên un noson lawog gyda dim byd ond rhif ffôn dienw a'r teimlad annifyr o fod wedi byw y noson hon o'r blaen. Dydy o ddim, wrth gwrs. Does dim byd yn digwydd ddwywaith. Petaen nhw, byddai bywyd yn hawdd, yn byddai? Ond felly roedd o'n teimlo, dyna sut roedd pethau'n ymddangos iddo fo. Efallai mai'r glaw oedd ar fai, neu hwyrach ffenestri hirion y Café Rambuteau. Neu mae'n bosib mai amser yn unig sy'n gwyro pethau, pan fydd yn peri i drenau ein bywydau gyfarfod ar un platfform ein pen. A beth bynnag, oes angen i bethau ddigwydd i ni go iawn, i'r rhan ohonon ni sy'n gig a gwaed, er mwyn iddyn nhw fod yn wir?

Dwi'n cofio hanes dyn o Sweden a ddychwelodd i'w dref enedigol ar ôl treulio blynyddoedd ym Moroco. Byddai pobl yn ei gyfarch gan holi, 'Ble wyt ti'r dyddiau yma?' Ac i ddechrau mi fyddai o'n ateb, 'Dwi'n ôl, dwi'n byw yma rŵan.' Ond wrth i'r blynyddoedd fynd heibio dechreuodd weld na wnâi'r ateb hwn 'mo'r tro. Felly pan ofynna pobl iddo fo rŵan, ateba yn hytrach, 'Dwi yma ran o'r amser. Ond dwi hefyd yn byw ym Marrakesh.' Er na ddychwelodd erioed i Foroco, pan gerddai dan awyr ogleddol ei dref fach crwydrai ei feddwl fwy a mwy i'r wlad ddeheuol honno. Wrth gerdded ar hyd strydoedd llwydion ei gartref, muriau oren Marrakesh a welai, y farchnad a'r merched yn eu gwisgoedd llaes, y mwg o'r tanau yn pylu'r machlud lliw bricyll, ac aroglai'r cig oen, a chlywai'r muezzin yn galw pobl i weddi. Yn ei ben, yn ei atgofion, yno roedd o, er bod ei draed yn rhywle arall. Fyddai rhywun arall ddim wedi gallu ateb yn yr un ffordd, oherwydd fyddai eraill ddim wedi profi, erioed wedi byw Marrakesh yn yr un modd. Ond i'r dyn yma, roedd y lle yn rhan ohono, yn ei amgylchynu ac yn ei gynnwys. Mewn ffordd, felly, roedd o'n dweud y gwir. Yn y diwedd mae ein gweithredoedd wedi'u cyfyngu gan amgylchiadau; felly hefyd, i raddau llai, ein geiriau. Ond mae'r meddwl yn rhydd. Ac yno mae'r gwir, os oes y fath beth â gwirionedd, nid ar y tafod nac yn y llaw. O'i feddyliau, nid ei eiriau, mae deall rhywun, o'r celwyddau 'dan ni'n eu dweud wrthon ni'n hunain yn y nos. Ac wedi'r cwbl, mae gynnon ni i gyd ein drychau, y gwydr 'dan ni'n edrych trwyddo er mwyn ceisio gwneud synnwyr o'r byd, a does yna 'run dau wydr yr un fath.

Ond torri wnaeth y drych hwn. Ac mae'r amser wedi dod i drio'i roi o'n ôl at ei gilydd. Oherwydd nid person a ddaeth oddi ar y trên y noson lawog honno ond ysbryd; adlewyrchiad dyn mewn drych toredig. A dwi'n meddwl rŵan, wrth i'r geiriau ddechrau cilio, onid mewn drych y mae popeth yn digwydd? Problem o bersbectif ydy hi, ac mae digwyddiadau bywyd fel geiriau: ni sy'n rhoi ystyr iddyn nhw, ein hystyr ein hunain, ac mi allen nhw olygu unrhyw beth i unrhyw un. Oherwydd fel arall byddai angen dyfarnwr. Dyfarnwr i ddweud, 'Dyma'r Gwir, dyma ddigwyddodd go iawn, dyma ei ystyr.' Ond does 'na ddim dyfarnwr. Dim ond pobl.

Dyna pryd yr oedodd Iestyn Llwyd am y tro cyntaf.

Roedd wedi'i synnu i ddechrau gan lif y geiriau. Bod geiriau mewn un iaith ar y papur o'i flaen yn canfod yn ei ben eiriau newydd mewn iaith arall a adlewyrchai eu hystyr. Fel geiriau mewn drych, meddyliodd. Neu atsain o'r ochr arall i'r cwm: mae'n dod yn ôl yn wyrgam, ond eto'n glir. Neu fel person mewn breuddwyd: nid fo ydy o, ond eto fo ydy o 'run fath.

Meddyliau o'r fath, mae'n siŵr, a barodd iddo oedi. Ac yn y bwlch lleiaf hwnnw rhwng y gair a'i ystyr, profodd Iestyn Llwyd yr awydd mwyaf annisgwyl i wneud rhywbeth nad oedd wedi'i wneud ers blynyddoedd: teimlodd yr angen i gofnodi rhywbeth ar bapur. Ond o sylweddoli'r angen hwnnw, cafodd ei syfrdanu ymhellach gan atgof a ddaeth o nunlle, am lyfr nodiadau a brynodd flynyddoedd yn ôl, mewn tref ar lan y môr. Doedd o ddim wedi meddwl am y naill beth na'r llall, y dref na'r llyfr, ers amser maith. Yn hytrach na'u bod nhw wedi mynd yn angof byddai'n gywirach dweud eu bod nhw wedi peidio â bodoli. Ond roedd i'r llyfr glawr lledr, mynnodd yr atgof, gyda llinyn lledr amdano, a doedd o ddim yn meddwl iddo erioed sgwennu gair ynddo. Felly cododd o'i gadair, wedi'i synnu gan ei frys, a dechrau chwilio'r fflat, ond yn ofer.

Yn ôl wrth ei ddesg, crwydrodd llygaid Iestyn Llwyd o'r papur o'i flaen, heibio'r sgrin a disgleirdeb y lamp, ac allan drwy'r ffenest fach yn y to uwch ei ben. Ceisiodd ganfod rhywbeth yr ochr draw i'r glaw a redai dros adlewyrchiad ei wyneb, ond roedd y gwacter yn rhy bell a'r tywyllwch y tu hwnt i'w gyrraedd.

Daeth â'i olwg yn ôl i'r ystafell a chyfieithodd ymhellach: Ond yn ôl at y noson honno. Camodd dyn – gall hwn fod yn unrhyw ddyn, cofia, neu ferch, fi neu hyd yn oed ti, ond ddwedwn ni mai dyn ydy o... mae'n fan dechrau o leiaf, yn tydy? – felly camodd oddi ar y trên, a gallai deimlo'i galon yn curo wrth iddo groesi'r orsaf, fel petai'n profi popeth am y tro cyntaf, y synau a'r golau, arogleuon trenau, coffi, persawr y merched. Fel dod adref. Nid i'r ddinas, ond ato fo'i hun. Fyddai'r teimlad ddim yn para'n hir, a buan iawn y byddai'n sylweddoli nad oedd o'n ddim mwy na chysgod, amlinell dyn a groesai gae gan chwilio am gamfa roedd rhywun wedi'i symud. Ond roedd hynny wedyn. Rŵan aeth at y ffonau, ac estyn cerdyn y Cactus gyda'r llun anochel arno o blanhigyn unig yng nghanol yr anialwch, a darllen am y canfed tro y rhif dienw oedd wedi'i sgwennu ar y cefn. Yna deialodd a gwrando ar ffôn yn canu mewn ystafell bell nes i lais, flynyddoedd yn ôl, ddweud:

'*Oui?*'

Dyna pryd y sylweddolodd fod y geiriau'n dechrau sychu.

'*Oui, allô?*' meddai'r llais eto. Llais a allai fod yn perthyn i unrhyw un, fi neu fo, hyd yn oed ti.

O'r diwedd dringodd synau i fyny o rywle a chlywodd ei hun yn dweud:

'*Je suis à la gare.*'

'*C'est qui?*' dywedodd y llais ar y pen arall.

Felly dyma fo'n newid iaith a dweud, 'Dwi yn yr orsaf. Ydy...?' A stopiodd. Fedrai o ddim mynd ddim pellach.

'*Vous vous êtes trompé de numéro,*' meddai'r llais. Ac aeth y lein yn farw.

Pwysodd yn erbyn y golofn wrth ei ymyl ac edrych ar y torfeydd yn gwau drwy'r orsaf. Arhosodd yno am amser, wedi'i hudo gan amrywiaeth yr wynebau, gan guriad traed ar lawr yr orsaf a murmur di-baid yr hanner-geiriau a nofiai am ei glustiau. Roedd yn paratoi i ddiflannu i'r dorf pan ganodd y ffôn wrth ei ymyl. Cododd y teclyn.

'Lle wyt ti?' Yr un llais.

'Paris. Yn yr orsaf.'

'Pa orsaf?'

'Dwi'm yn gwbod. Y Gare du Nord.'

'Lle ti 'di bod?'

'Dwi newydd ddod oddi ar y trên. Dwi 'di bod i ffwrdd.'

'Yli, dos i'r Cactus. Nage, i'r Rambuteau. Arhosa amdana i yno.'

Mae'n bosib iddo drio dweud rhywbeth arall ond aeth y dôn yn farw eto.

Y tu allan roedd disgyn y glaw yn cyflymu effaith y cyfnos ac yn amlygu goleuadau'r stryd. Cododd goler ei gôt, taflodd y bag ar ei ysgwydd a chamu i'r glaw. Aeth at y rhes o dacsis a phlygu at y ffenest gyntaf, a churo ar y gwydr gwlyb. Rhoddodd y gyrrwr ei bapur newydd ar y sedd wrth ei ymyl a thanio'r modur wrth iddo ddringo i'r sedd gefn.

'Café Rambuteau.'

'Rue Rambuteau?' gofynnodd y gyrrwr i'r drych. 'Beaubourg?'

'Oui.'

Ymunodd y car â'r traffig a symudai'n araf a thawel yr ochr arall i'r ffenest. Gwyliodd y dyn y weipars yn siglo'n ôl ac ymlaen gan ddatgelu strydoedd hir o oleuadau a dreiddiai drwy'r glaw. Roedd y traffig yn dwysáu rŵan, y glaw yn drymach a'r awyr yn tywyllu. Wrth i'r tacsi gropian ymlaen gwelodd wynebau blinedig yn llithro heibio yn y ceir cyfagos. Dyna pryd, am y tro cyntaf, yr ystyriodd a fyddai'n sicr o adnabod yr wyneb y tu ôl i'r llais ar y ffôn. Fyddwn i'n ei nabod, meddyliodd, petai'n edrych i fyw fy llygaid a gofyn am dân?

Stopiodd y tacsi. Estynnais y ffi i'r gyrrwr.

'*Merci. Bonne soirée,*' medda fo, a phan symudodd y car i ffwrdd safais ar ochr y pafin gan adael i'r traffig a'r goleuadau, y twrw a'r glaw olchi drostaf. Roedd pobl yn brysio rŵan, eu pennau i lawr uwchben y tarmac gwlyb lle roedd goleuadau'r stryd a ffenestri'r siopau'n arnofio yn y pyllau glaw. Croesais y stryd at y Café Rambuteau a chamu drwy'r drws.

Fedra i ddim bod yn sicr o unrhyw beth a ddigwyddodd wedyn. Ond dwi'n cofio bod y lle'n llawn. Bod gweinydd wedi gwthio heibio gan ofyn imi beidio rhwystro'r fynedfa a 'mod i wedi dechrau gwau fy ffordd rhwng y byrddau. Dwi'n cofio 'mod i'n chwilio am wyneb cyfarwydd. Roedd cadair wag o 'mlaen ac anelais amdani, eistedd a chynnau sigarét.

Edrychais ar y ffigyrau o 'nghwmpas, a daeth y lleisiau yn don drosta i, gyda synau sgyrsiau a llestri'n diasbedain oddi ar deils y llawr a'r drychau ar y waliau, a chodais fy mhen fel petawn i'n eu gweld nhw'n taro yn erbyn y nenfwd oedd â mwg y blynyddoedd wedi dod i orwedd yn y corneli melyn. Pan ddes i â fy ngolwg yn ôl i lawr roedd dyn yn eistedd gyferbyn â mi. Yna gwelais fod dau wydr o frandi nad o'n i'n cofio gofyn amdanyn nhw ar y bwrdd rhyngddon ni, a dwi'n siŵr fod y dyn yn edrych arna i. Ystyriais a oedd 'na rywbeth cyfarwydd amdano ai peidio.

Onid ydy pob wyneb yn gyfarwydd? meddyliais. Nid dyna ddwedaist ti un tro? Dwi'n dy gofio di'n dweud, lle roedden ni, dywed? tu allan yn rhywle, mewn parc neu ar bont, ia, ar bont, a'r afon yn llifo oddi tanon ni a'r awyr yn anferth a phorffor, a dyma ti'n dweud bod yr wynebau i gyd yn perthyn, rywle ymhell yn ôl, wedi'u hailgynhyrchu gan enynnau gwasgaredig, oll yn ddisgynyddion i'r un ferch, miliwn o ddieithriaid yn edrych yn union yr un fath.

'Ga' i dân?'

Y dyn gyferbyn oedd yn gofyn, ac roedd o'n siarad efo fi. Yr union eiriau yna. Felly atebais, fel petai hynny'r peth mwyaf naturiol yn y byd, bod mewn bar yng nghanol y ddinas honno ac yn siarad yr union iaith honno efo dieithryn.

'Wrth gwrs,' medda fi, a llithro matsien ar hyd ochr y bocs. Daliais hi wrth iddo blygu ymlaen gyda'i sigarét yn ei geg. Anadlodd yn ddwfn wrth edrych arna i, a chwythodd y mwg allan ac i fyny gan ddweud,

'Merci.'

Felly gwenais, a gwneud arwydd salíwt i ddweud 'croeso' wrtho fo. Llyncodd ei frandi. Edrychais arno, fwy nag unwaith, gan ddal ei lygaid a meddwl un tro ei fod o'n siarad efo fi, ond chlywais i ddim byd, dim ond y lleisiau a ddaeth oddi ar y trên efo fi, lleisiau rhywun arall, rhywun roeddwn i'n arfer bod. Pan gododd y dyn a diflannu heibio'r cownter, gwagiais innau'r gwydr arall, yna codais a mynd.

Roedd y glaw yn dal i ddisgyn a doedd dim i'w weld rŵan heibio i oleuadau'r stryd ond y nos. Cerddais at y Metro ac i lawr y grisiau. Ar y platfform anadlais arogl cyfarwydd y twneli tanddaearol. Gwyliais lygoden yn llithro dros y rheiliau. Yna daeth rhuthr o wynt i ddweud bod trên yn dod, a ges i'r teimlad hwnnw unwaith eto fod hyn i gyd wedi digwydd o'r blaen.

Pan ddes i allan o'r Metro troais ar yr hen stryd a stopio o flaen rhif 25. Edrychais ar yr enwau wrth y drws, pwysais rif intercom y fflat, ond ddaeth 'run ateb. Roedd caban ffôn ar gornel y stryd, felly tynnais gerdyn y Cactus o 'mhoced a chamu i'r pwll o olau a deialu'r un rhif. Tra canai, gwyliais flaen yr adeilad am arwydd ond welais i ddim byd, dim golau'n cynnau, dim ffigwr yn croesi'r ffenest i ateb y ffôn. Rhoddais y ffôn yn ôl ar y bachyn a sefyll ar gornel y stryd, ac mae'n rhaid mai dyna pryd y penderfynais fynd i'r sinema.

Yr hen sinema 'na oedd hi, y Cinéma Grand Pavois ar ddiwedd y lein lle maen nhw'n dangos hen ffilmiau. Es i at y cownter a gofyn i'r ferch be oedden nhw'n ddangos.

'*Mort à Venise*,' meddai hi'n glên i gyd, '*et Vol au-dessus d'un nid de coucou.*'

Felly wnes i ddewis yr ail.

Ac i mewn â fi, i'r neuadd fechan honno gydag oglau'r mwg yn dal i dreiddio o ddeunydd melfed y seddi, ac eistedd yn ôl i wylio Jack Nicholson yn tynnu'r byd i'w ben. Pan ddes i allan dyma fi'n sefyll wrth y fynedfa gan edrych ar y golau coch yn gwerthu cwrw uwchben drws y bar gyferbyn, pan glywais glec ar y llawr. Edrychais i lawr a gweld bod llyfr wrth fy nhraed. Yn reddfol plygais a'i godi.

'*Merci*,' meddai merch wrth fy ymyl.

'*One Flew Over the Cuckoo's Nest*,' darllenais yn uchel wrth iddi estyn amdano. Yn yr un iaith ychwanegais: 'Dod i gymharu ffilm â llenyddiaeth?'

'Rhywbeth felly,' meddai gan wenu.

'Beth am ddiod bach i drafod rhinweddau?'

'Iawn,' meddai, a'r peth nesaf roedden ni'n rhedeg drwy'r glaw ac i mewn i'r bar hwnnw gyferbyn â'r Grand Pavois. Roedd 'na ddau wrth y cownter yn gwylio gêm bêl-droed ar deledu pitw ar y wal a deuai cerddoriaeth o rywle. Mewn un cornel roedd cwpl yn chwerthin wrth rannu jôc. Roedd gan y ferch rwyg ar hyd ei sgert oedd yn datgelu teits a chlun, ac wrth i'r dyn wrth ei hymyl alw am ddiod fflachiodd golau pŵl y caffi ar ddant aur yn ei geg.

Aethon ni at fwrdd mewn cornel arall, ac wrth eistedd dywedodd y ferch ei bod hi'n dod o Gymru. Roedd hi'n brydferth, ond nid yn yr ystyr arferol. Roedd dafnau o law yn gludo'i gwallt dros un foch, a phan wenodd sylwais nad oedd ei llygaid yn hollol syth, ond prin y basai rhywun yn sylwi. Ac mi ges i'r teimlad rhyfeddaf 'ma, teimlad na wnes i erioed lwyddo i ymadael â fo, felly gofynnais:

"Dan ni 'di cwarfod o'r blaen?'

"Dan ni i gyd wedi cwarfod o'r blaen,' medda hi. "Di o mond yn gwestiwn ydan ni'n cofio neu beidio.'

Rhyfeddol, de? *Dan ni i gyd wedi cyfarfod o'r blaen, 'di o mond yn gwestiwn ydan ni'n cofio neu beidio.* Yna wnaethon ni siarad am yr hen sinema ac am y ffilm. A dywedodd hithau fel roedd *Vol au-dessus d'un nid de coucou* yn ddatganiad ar feddylfryd y byd gorllewinol, ac am eironi'r ffaith mai'r Indiad ydy'r unig un yn y diwedd i allu torri oddi wrth y sefydliad a'r gymdeithas gonfensiynol wrth ddianc o wallgofrwydd byd y dyn gwyn ac yn ôl i ryddid y tir agored lle roedd y ffilm wedi dechrau, gan wneud yr holl beth yn ddameg ar y cynt a'r wedyn a'r hyn oll sydd wedi digwydd i America.

Yn nes ymlaen dywedais fy mod i'n dipyn o actor. Wyt

ti? gofynnodd hi. Yndw, medda finna. Be ydi dy hoff rôl di? gofynnodd. Dyfala, atebais. A dyma fi'n gwneud fy narn Jack Nicholson iddi hi. Yn y *Shining* yn gyntaf, yna yn *One Flew Over the Cuckoo's Nest*. A dyma hi'n chwerthin, a chwarddais innau hefyd, a gofynnodd hi i mi ei wneud o eto, felly mi wnes i. Ac roedden ni'n dal i chwerthin wrth gerdded yn ôl i'w lle hi. A dyma ni'n troi ar hyd Rue Mandar a heibio'r blwch ffôn ac, fel mewn breuddwyd, fel mewn bywyd, stopiodd y ferch o flaen rhif 25 i roi goriad yn y drws, a dyma ni'n dringo'r grisiau at y trydydd llawr, a phrin fod y drws wedi cau y tu ôl i ni nes fy mod i'n gwthio 'nghorff yn erbyn ei chluniau ac yn teimlo'i thafod yn fy ngheg a'i dwylo rhwng fy nghoesau. Ac wrth i ni garu ar y soffa ac eto ar y gwely, clywais y llais 'ma yn fy mhen yn dweud eto ac eto, 'Dwi wedi f'achub, dwi wedi f'achub', a fanna ro'n i'n gorwedd, efo'r glaw yn disgyn ar y ffenest uwchben y gwely, a thri pheth yn rhwbio yn erbyn ei gilydd yn fy mhen, sef pwy oedd y ferch yma wrth fy ymyl, be taswn i wedi mynd i weld *Death in Venice* yn lle, ac oedd na'r fath beth â chyd-ddigwyddiad?

2
Llwybrau

Roedd ysfa Iestyn Llwyd i gofnodi rhywbeth ar bapur y noson honno yn un anarferol, a hynny am y rheswm syml nad oedd o wedi sgwennu gair o'i eiddo'i hun ers blynyddoedd. Geiriau, wrth gwrs, ydy arian parod y cyfieithydd. Ond geiriau pobl eraill ydy'r rheiny, sy'n caniatáu i rai'r cyfieithydd orwedd yn dawel yn y cysgodion, ymhell o gyhoeddusrwydd llais neu inc.

Os rhywbeth, felly, yr awch nid am sgwennu ond am ddistawrwydd a ddaeth â Iestyn Llwyd, rai blynyddoedd yn gynharach, i'r gorllewin, ac i dref fach ar lan afon lle penderfynodd aros. Petai rhywun wedi gofyn iddo ar y pryd mae'n annhebygol y byddai wedi gallu dweud pam y dewisodd y dref honno. Ond y gwir ydy na ofynnodd neb iddo: daeth yno'n ddieithryn, ac ychydig a wnaeth yn ei amser yno i newid y cyflwr hwnnw.

Cyrhaeddodd, ar y diwrnod byrraf, ar fws. Pan ddaeth dros ymyl y dyffryn gwelodd oleuadau'r dref yn disgleirio yn y cyfnos gaeafol, y tarth yn codi o'r afon, a thua'r gorllewin a thu draw i'r cribau pin, amlinell arw'r mynyddoedd, eu clytiau o eira'n amlygu düwch y creigiau yng ngolau diflanedig y prynhawn. Mae'n bosib ei fod wedi gweld rhywbeth yno, ym mhant y dyffryn, efallai, yn yr afon neu yng nghopaon Eryri y tu draw, a bod hynny wedi'i gymell i aros.

Efallai i'r tawelwch atseinio ei ddistawrwydd ei hun.

Roedd ganddo ddau fag. Roedd un yn dal ei ychydig ddillad a'r llall y mân lyfrau roedd wedi'u cadw efo fo, yn fwy oherwydd arferiad na diddordeb, fel hen lythyrau nad oes gan rywun 'mo'r nerth i'w lluchio nac i'w hailddarllen chwaith. Daeth o hyd i fflat yn y dref, ac yno trosglwyddodd ei ddillad yn drefnus i hen gwpwrdd derw, a'i lyfrau'n frysiog i flwch a wthiodd o dan y grisiau. Roedd yr ardal honno o'r dref yn rhy isel yn y dyffryn i ganiatáu golygfa o'r mynyddoedd, ond roedd to gwastad uwchben y siop islaw, a phenderfynodd Iestyn Llwyd y byddai'n tyfu planhigion yno, gyda'r bwriad o ddysgu eu henwau. Er mwyn byw, oedodd rhwng swydd gyfieithu a symud dodrefn, gan deimlo mai'r un egwyddor oedd ar waith yn y ddwy: fel y mae symudwr dodrefn yn trosglwyddo cadeiriau a byrddau o un aelwyd i'r llall, felly mae cyfieithydd yn symud ansoddeiriau a berfau o'u cynefin arferol, dros ffin ieithyddol ac at dafod arall. Ac mae'r ddau, y symudwr fel y cyfieithydd, yn glanhau eu dwylo wrth gerdded i ffwrdd, gan adael i'r perchnogion wneud fel y mynnen nhw efo'u dodrefn, fel y darllenwr gyda'r geiriau newydd o'i flaen.

Yn y diwedd penderfynodd ateb yr hysbyseb ar gyfer cyfieithydd mewn ieithoedd tramor. Pan ofynnwyd iddo yn y cyfweliad a fyddai hefyd yn fodlon cyfieithu rhwng Cymraeg a Saesneg, meddai Iestyn Llwyd:

'Mae'r iaith yn rhy bell yn ôl, fedra i 'mo'i chyrraedd.'

Aeth pawb yn ddistaw. Yna meddai un o'r cyfwelwyr, y rheolwr o'r enw Dyfan Edwards, gŵr taclus, flwyddyn neu ddwy'n iau na Iestyn Llwyd, mewn crys a thei:

'Gwaith achlysurol fyddai o fel arall.'

'Mae hynny'n iawn efo fi,' meddai Iestyn Llwyd.

Felly cynigiwyd cytundeb chwe mis iddo, yn cyfieithu llyfrau i ymwelwyr o Saesneg i Ffrangeg, gwaith diflas a weddai'n berffaith i'r bywyd digynnwrf y chwiliai amdano. Aeth chwe mis yn flwyddyn, a chyn hir doedd neb i'w weld yn cofio mai apwyntiad dros dro oedd Iestyn Llwyd. Gweithiai gan fwyaf o adref, wrth fwrdd yn yr ystafell gefn o dan ffenest yn y to. Treuliai ddiwrnod yma ac acw yn swyddfa'r cwmni ar sgwâr y dref, ac yno, o ystafell fechan yng nghefn y swyddfa, codai Iestyn Llwyd ei ben at yr un ffenest gul, gyda'i golygfa o'r afon, y bont a'r bryniau y tu draw. Gwyliai symudiad yr haul mewn awyr las, neu lesni'r coed yn y golau newidiol, y gwylanod yn dilyn y llanw a'r plant yn mynd adref o'r ysgol. Teimlai foddhad o'r pethau hyn; o fesur ei amser drwy brosesau y tu hwnt iddo fo'i hun, fel cylchoedd natur, neu fywydau eraill. Petai wedi meddwl am y peth, efallai y byddai wedi gweld bod hyn, yr edrych i mewn hwn o'r cyrion, yn symbol o'i holl fywyd. Efallai y byddai hefyd wedi dweud mai'r ymylon oedd safle naturiol y cyfieithydd, tyst parhaol i sgwrs y mae eraill yn ei chael. Weddill yr amser, cerddai.

Y goedwig oedd ei barth arferol, y drysle o lwybrau yn nhawelwch y coed. Weithiau byddai'r trywydd yn dod â fo wyneb yn wyneb â'r mynyddoedd, a hoffai sefyll yno, yn gwylio'r llethrau pell fel mae dyn alltud yn edrych ar wlad waharddedig. Os oedd ystyr i'r byd, yno, ar y llwybrau troellog neu mewn adfeilion hen dyddynnod, neu rywle yn yr hanner byd rhwng y caeau a'r awyr, roedd hwnnw i'w gael. Er i'w feddyliau ar y teithiau hyn droi ar adegau at ei waith, at iaith a rheolau rhesymegol gramadeg, buan iawn y bydden nhw'n ildio i'r boddhad a brofai o edrych ar y bryniau a'r coed, ac o wrando am alwadau adar nad oedd byth yn adnabod eu henwau. Gwyliai'r gwynt yn aflonyddu ar wyneb llyn, a heulwen ddiwedd prynhawn yn disgleirio rhwng y pinwydd. Safai weithiau lle tywynnai'r haul mewn llannerch. Yno, lledai ei freichiau a chaeai ei lygaid, a gwenai wrth deimlo'r heulwen ar ei wyneb. Byddai'n canu weithiau, o dan ei wynt, neu'n mwmian iddo fo'i hun wrth geisio cofio barddoniaeth. Ymwelai â hen eglwysi, safleoedd hen gaerau, a chopaon bryniau lle gwelai'r môr.

Gyda'i draed yn rhydd, roedd yr awyr a anadlai fel petai'n gwasgaru, fesul gair, y meddyliau roedd amser wedi'u casglu yn ei ben. Roedd fel petai'r crwydro hyn yn diosg rhyw bwysau oddi arno, gyda phob cam yn ei gario'n nes at fersiwn gynharach ohono fo'i hun, at gyflwr mwy cyntefig, noethach. Petai unrhyw un wedi gofyn iddo, efallai y byddai Iestyn Llwyd wedi dirnad mai nod ei deithiau yn y bôn oedd math o ebargofiant, yr angen i golli ei hun yn ei gamau, yn y weithred gyntefig honno o osod un troed o flaen y llall.

Ymhell cyn iddo deimlo'r awch i gofnodi ei feddyliau, eisteddai Iestyn Llwyd yn y swyddfa gan wylio, heibio'r cyfrifiadur a'r geiriaduron, y ceir prin yn ymlithro'n ddistaw rownd y gornel a thros fwa pont gerrig y dref. Meddwl yn annelwig roedd o i ble roedden nhw i gyd yn mynd, ac a oedd y glaw mân wedi ildio o'r diwedd, pan ganodd y ffôn ar y ddesg yn y dôn honno a ddynodai alwad fewnol.

– Helô.

– Sori dy gadw di, Iestyn. Sgen ti ddau funud i edrych ar y gwaith newydd 'ma cyn imi fynd?

– Ddo' i lawr rŵan. Be ydy –

Ond roedd Dyfan Edwards wedi rhoi'r ffôn i lawr. Rhoddodd yntau'r teclyn yn ôl yn ei le, gan edrych ar y sgrin o'i flaen a meddwl fel mae cymaint o'n sgyrsiau'n dod i ben cyn cyrraedd y nod.

Rhannai'r asiantaeth yr adeilad efo gweithwyr y Llywodraeth, ond roedd hi'n nos Wener ac roedd y coridor yn llonydd a'r swyddfeydd yn wag. Anelodd Iestyn Llwyd rŵan am ben y coridor, lle roedd golau i'w weld drwy ddrws cilagored. Curodd yna gwthiodd y drws heb ddisgwyl am ateb. Roedd Dyfan Edwards yn eistedd yng ngolau'r lamp ar ei ddesg.

'Ti'n iawn?' meddai, heb godi'i ben o'r cyfrifiadur.

'Yndw. Ti?'

'Trio cael trefn cyn gadael,' atebodd Dyfan heb godi'i lygaid o'r sgrin. Roedd Dyfan Edwards yn paratoi i fynd ar secondiad, ac wedi llwyddo i sicrhau gwyliau bach efo'i deulu cyn gadael.

'Dwi'n siŵr,' meddai Iestyn Llwyd, gan eistedd ar y soffa yn y gornel.

'Fydda i efo ti mewn eiliad.'

Roedd golau ar fwrdd wrth ei ymyl yn tywynnu'n syth i'w lygaid, felly trodd Iestyn Llwyd y lamp fel ei bod yn disgleirio ar fap o'r wlad ar y wal gerllaw.

'Lle wyt ti'n mynd ar wyliau?'

'Aberdaron.'

Crwydrodd llygaid Iestyn Llwyd yn araf ar hyd ffyrdd a llinellau amryliw y map. Syllodd ar yr enwau heb yngan eu synau, fel petai'n dilyn arwyddion mewn iaith ddieithr. Dychmygodd fap estron o enwau newydd, a bod ar goll mewn gwlad nad oedd yr enwau'n golygu dim iddo. Mae enwau, ystyriodd – ystyriaeth a fyddai'n dod i orwedd, pan ddeuai o hyd iddo, ar dudalennau ei lyfr nodiadau – mae enwau fel unrhyw air arall, yn golygu cymaint mwy na'r casgliad o synau mae eu llythrennau'n ei wneud. Symbolau ydyn nhw; enwau unigolion sy'n cyfleu wyneb neu lais, enwau pethau sy'n esgor ar ddelwedd neu atgof, cipolwg o du mewn ein pennau. Dywed nhw'n uchel, meddyliodd Iestyn Llwyd, geiriau fel ogof, môr, drws, ac mae'r meddwl yn rhuthro ar hyd twneli maith o ddelweddau sy'n perthyn i ni, i'n cof unigol ein hunain, gan ymledu ymhell o'r drws neu'r môr neu'r ogof. Allweddau ydyn nhw. Maen nhw'n datgloi drysau ein cof, gan ein harwain ymhell y tu hwnt i'r enw, y tu hwnt i'r gair ei hun. Ac mae eu hanghofio fel colli rhan o'n map ein hunain.

'Y garafán.'

Sylweddolodd fod Dyfan yn dal i gyfeirio at ei wyliau, a'i fod wedi ychwanegu'r gair olaf hwn fel petai'n egluro popeth. Rhedodd cadwyn o ddelweddau drwy ben Iestyn Llwyd, o gamelod a gwisgoedd llaes, o olion traed ar dywod, ffigyrau duon yn erbyn gorwel y paith, pebyll, plant, y gwynt, a phobl mewn siwmperi'n codi gwydrau at ei gilydd drwy'r ffenestri a'r glaw. Carafán, meddyliodd. Rhyfeddol fel y gall un gair olygu cymaint, un peth i eisteddfodwr, un arall i nomad. Y cyntaf oedd agosaf at chwaeth Dyfan, wrth gwrs. Am yr eiliad fyrraf, ceisiodd Iestyn Llwyd ddychmygu ei fywyd ei hun petai ganddo deulu'n disgwyl amdano adref a gwyliau yn y wlad o'i flaen. Dychmygodd Dyfan yn ei garafán, yn ffrio bacwn yn ei siwt.

'Iawn, 'ta,' meddai hwnnw, wrth ddod i eistedd ar y soffa

wrth ei ymyl. 'Sôn am garafanau, faint wyt ti'n wybod am Marco Polo?' Ac estynnodd lyfr iddo.

'*The Voyages of Marco Polo*,' darllenodd Iestyn Llwyd.

'Dwi newydd e-bostio copi atat ti,' meddai Dyfan. 'Cynllun cenedlaethol i gyfieithu clasuron.'

Edrychodd Iestyn Llwyd ar Dyfan. Yna gofynnodd, 'I ba iaith?'

Gwenodd Dyfan Edwards y mymryn lleiaf, yna meddai: 'I'r Gymraeg.'

Ochneidiodd Iestyn Llwyd.

Aeth Dyfan yn ei flaen: 'Ers faint wyt ti wedi bod efo ni rŵan, Iestyn? Dwy flynedd?'

'Ychydig yn fwy, falla.'

'Ac mi wyt ti'n fwy hyderus bellach.'

'Efallai,' meddai.

'Fasa gynnon ni fwy o waith i ti, 'sti. Stwff syml, eitha mecanyddol gan fwya.'

'Dwn i ddim,' meddai Iestyn Llwyd. 'Mae sgwrsio'n un peth, ond, cyfieithu i iaith...'

'Fydd o'n newid i ti.'

'Newid o be?'

'O beth bynnag mae rhywun angen newid oddi wrtho,' meddai Dyfan yn annisgwyl.

Oedodd Iestyn Llwyd. Yn ansicr sut i ymateb, o'r diwedd meddai'n dila, 'Doeddwn i ddim yn disgwyl mwy o waith ar hyn o bryd.'

Amneidiodd Dyfan ei ben y mymryn lleiaf. Yna meddai, 'Ofynnais i erioed i ti. Dydy o'n ddim o 'musnes i, dy orffennol di.' Oedodd Dyfan. 'Fel deudes i, dydy o'n ddim o 'musnes i, ond dwi'n meddwl dy fod ti'n barod rŵan. I roi cynnig arni. Pwy a ŵyr be ddaw ohono.'

'Yn Saesneg mae o,' meddai Iestyn Llwyd gan amneidio at y gyfrol rhwng ei ddwylo. 'Nid y gwreiddiol ydy o.'

'Do'n i ddim yn gwbod dy fod ti'n siarad Eidaleg.'

'Dydw i ddim.'

'Chwilia am gopi Ffrangeg 'ta. Fysa hynny'n agosach.'

'Pryd maen nhw isio fo?'

'Dim brys. Gwna gymaint ag y medri di erbyn imi ddod yn ôl o Québec. O! Mae hynny'n f'atgoffa i. Falla gei di chwaneg o waith beth bynnag. Mae 'na rywun wedi holi am gyfieithu rhywbeth. Llyfr o fath, debyg, atgofion neu hanes neu rywbeth felly. Dwi wedi pasio dy rif ffôn i... dwi'm yn cofio'r enw rŵan, gobeithio bo' ti ddim yn meindio. Roedd o'n swnio'n ddiddorol.'

'Fydda i'n brysur felly,' meddai Iestyn Llwyd. Roedd ar fin holi ymhellach ond cododd Dyfan ar ei draed.

'Fydd gen i fawr o amser rhwng y gwyliau a'r secondiad,' meddai. 'Falla na wela i mohonat ti. Ond mi gadwn ni mewn cysylltiad o Québec.'

'Iawn,' meddai Iestyn Llwyd wrth godi. Safodd yno gan edrych ar Dyfan am ychydig, yna, heb wybod yn iawn pam, gofynnodd, 'Ydy'r teulu i gyd yn dod? I'r garafán?'

'Y pedwar ohonon ni,' meddai Dyfan. 'Mae'n braf yno, 'sti. Deffro a gweld y môr. Y llonyddwch. Ddyliet ti fynd rywbryd.' Yna gwenodd eto. 'Diolch am helpu i gadw llygad ar bethau. Wela i di Dolig.'

Estynnodd Dyfan Edwards ei law. Gafaelodd Iestyn Llwyd ynddi, ac meddai Dyfan wrth edrych i'w lygaid, 'Cyma ofal, wnei di?'

'Mwynha Québec,' meddai Iestyn Llwyd.

'A chdithau dy deithia efo Marco Polo,' meddai Dyfan gan droi yn ôl at ei ddesg.

Y diwrnod hwnnw aeth adref y ffordd hir, ar hyd yr afon. Weithiau byddai Iestyn Llwyd yn gweld yr angen am afon. Teimlai rywsut fod rhywbeth yn y llif yn ei atgoffa o ddinas. Mewn ffordd, roedd sefyll ar y lan fel sefyll ar balmant, gan wylio'r un llif di-hid, yr un grym di-baid nad oedd a wnelo ddim byd â fo. Rŵan roedd haul ddiwedd haf yn suddo y tu ôl i'r dyffryn, y gwair hir ar y lan bellaf yn hidlo'i olau dros wyneb y dŵr. Wrth wylio'i gam ar y llwybr cul crwydrodd meddyliau Iestyn Llwyd yn ôl at Dyfan, rhwng ei ddesg a'i garafán. Pob un â'i ffisig dyddiol i roi ystyr i'w ddydd, meddyliodd wrth gerdded. Roedd Karl Marx yn anghywir: nid crefydd oedd opiwm y bobl, ond gwaith. Beth oedd gwaith, os nad defod a threfn a bara beunyddiol? Roedd gan Iestyn Llwyd synnwyr o fod wedi addo iddo'i hun un tro na fyddai byth yn cael ei glymu i lawr fel yna, na fyddai byth yn un o'r bastads digalon rheiny sy'n mynd adra o'i waith i wylio'r teledu a golchi'i gar ar fore Sul. Ond dyna'n union be oedd o bellach. Roedd yntau hefyd yn fastad digalon, a doedd dim hyd yn oed ots gynno fo. Mae fel petai 'na fywyd parod – meddyliodd wrth gefnu ar yr afon – un sydd wedi'i greu a'i deilwra, ac wedi bod o gwmpas ers talwm. Trïwch o, medden nhw wrthat ti yn y siop, gawn ni weld sut mae o'n gweddu, mae o'n boblogaidd iawn. Dim byd ffansi. Ond mae'n ddibynadwy. Ac yn bwysicach i chi sydd ddim isio gorfod meddwl am y peth eto, mi barith flynyddoedd. Fydd byth angen ei newid o. Wrth gwrs, medd y dyn yn y siop, mae rhai pobl yn cael syniadau ynglŷn â thrio rhywbeth newydd. Ond tyfu allan ohono fo maen nhw. Neu ddod i weld nad dyna'r model roedden nhw'n chwilio amdano fo wedi'r cwbl a dweud y gwir, roedd o'n rhy liwgar, yn rhy lachar, yn rhy lac neu'n rhy dynn. Ac maen nhw'n dod yn eu holau ac yn trio hwn. Ac, wrth gwrs, mae o'n ffitio. Neu o leia, os nad ydy o'n ffitio, mi ddaw i ffitio gydag amser. Trïwch o. Wnewch chi dyfu i mewn iddo fo.

A dyma fi, meddyliodd Iestyn Llwyd wrth agor drws ei fflat, wedi tyfu i mewn i fy ngwisg barod. Yn pasio'r amser gan wylio'r cymylau'n croesi'r awyr, yn cynnau'r golau ar ddechrau'r dydd a'i ddiffodd eto gyda'r nos. Ceisiodd ysgwyd y syniad o'i ben. Ond roedd yn dal i feddwl am y peth yn hwyr y noson honno pan ganodd y ffôn.

Canodd i ddechrau fel petai'n perthyn i rywun arall, yn dod o'r fflat drws nesaf efallai, y sain wedi'i chodi nes ei bod i'w chlywed drwy'r waliau. Pan sylweddolodd mai ei ffôn ei hun oedd yn canu, cododd o'r gadair gan faglu drwy ddrws y gegin – roedd o wedi blino, roedd diod yn mynd i'w goesau'n gynt y dyddiau yma pan oedd wedi blino – a chodi'r ffôn.

– Helô, meddai, gan sylwi ar y glaw a redai i lawr y ffenest.

Y dôn ddeialu.

Rhoddodd y teclyn i lawr. Roedd y golau coch yn fflachio.

– *A message for Iestyn Llwyd*, clywodd lais dyn yn ei ddweud. *Ysgwn i a fedrwch chi fy helpu i. Mae gen i rywbeth i'w gyfieithu... Tybed a fedrwch chi fy ffonio'n ôl. Y rhif ydy...*

Ond doedd Iestyn Llwyd ddim yn gwrando bellach. Roedd y llais ar ben arall y ffôn yn cilio, yn ymbellhau mewn murmur o rifau a olygai cyn lleied iddo â'r gyfres o eiriau a aeth o'u blaenau. Disgynnodd ei law oedd yn dal y ffôn a chrwydrodd ei lygaid at ddelwedd annelwig yn ffenest y gegin, o ddyn fel petai'n sefyll allan yn y glaw yr ochr draw, yn dal ffôn at ei frest wrth edrych i mewn ato. Edrychodd ar y ffigwr hwnnw'n hir. A theimlodd yr awydd sydyn i siarad efo fo, i ddweud rhywbeth. Ond doedd gynno fo ddim byd i'w ddweud. Roedd o'n fud. A beth bynnag, doedd geiriau'n cyfleu dim. Ymdrech dila ydyn nhw, hanner-iaith sy'n bodoli rywle allan dros y môr, ynysoedd o ystyr sy'n ddim nes at gyfleu cynnwys y galon nag ydyn nhw at y lan. Dim ond adlewyrchiad ydy geiriau, meddyliodd wrth osod y ffôn yn ôl yn ei le. Damhegion. Metafforau ar gyfer bywyd, tra mae'r gwir yn rhywle arall. Ymhle? Y tu hwnt i fetaffor, dywedodd, mewn llais uchel y tro hwn, yr ochr draw i eiriau. Y tu hwnt i iaith.

Trodd ac estyn potel arall. Yn ôl yn y stafell fyw cododd y copi o *Marco Polo* a'i droi rhwng ei ddwylo gan ddarllen y clawr unwaith eto. Rhoddodd y llyfr i lawr a rowliodd sigarét, gan ystyried pam roedd o'n teimlo ei fod wedi cael diwrnod rhyfedd. Cymerodd lymaid o'r cwrw a thyniad o fwg, ond roedd popeth yn troi arno fo rŵan. Aeth lorri heibio y tu allan. Cafodd fflach o borthladd, o yrwyr o bell, o ffordd hir. Pwysodd yn ôl ar y soffa, a meddyliodd sut i ddechrau datgymalu'r ystyron o fewn y diwrnod pitw hwn oedd yn ddedfryd ar ei holl fywyd. Llusgodd ei hun i'r gwely, ac yno, cyn cysgu, cafodd ddelwedd sydyn o garafán mewn cae agored uwchben y môr, gwraig yn gwenu o'r drws a Dyfan yn gwenu'n ôl, gan osod pegiau yn y ddaear gyda'i blant.

3

Pontydd

Ychydig ddyddiau'n ddiweddarach cododd Iestyn Llwyd tra oedd hi'n dal yn dywyll, cyneuodd lamp ac eisteddodd wrth y ffenest gyda'i gopi o *Marco Polo*. Darllenodd y cyflwyniad.

Ceisiodd gofio ai wedi darllen y llyfr cyfan roedd o un tro, neu dim ond darnau, ond roedd yr hanes yn gyfarwydd iddo. Marco Polo, yn fachgen ifanc, yn mynd efo'i dad a'i ewythr gan dreulio blynyddoedd yng ngwasanaeth y Can Mawr, cyn dychwelyd i Fenis lle cafodd ei gipio yn ystod môr-frwydr. Yno, mewn carchar yn Genoa, adroddodd ei helyntion yn y Dwyrain wrth ŵr a rannai ei gell, ac a gofnododd ei atgofion. Uchelwyr Ffrainc oedd cynulleidfa Rustichello da Pisa, ac yn Ffranco-Eidaleg, iaith ddiwylliedig y dydd, y sgwennodd yntau'r hanes a glywodd gan Marco Polo. Nid trawsgrifydd syml 'mo Rustichello felly, ond cyfieithydd. A dyna ddechrau hanes arall, o newid, o esblygu ac ail-gyfieithu, gydag ysgolorion, masnachwyr a'r Eglwys Gatholig oll yn addasu ac yn blodeuo helyntion y gŵr o Fenis at eu dibenion eu hunain. Bu un cyfieithiad gan fynaich ar ddechrau'r bedwaredd ganrif ar ddeg, o Feniseg i'r Lladin, yn sail ar gyfer hyd at hanner can fersiwn arall, gan gynnwys un cyfieithiad i'r Wyddeleg. Aeth Christopher Columbus, hyd yn oed, â chopi efo fo wrth hwylio am y gorllewin, yn y gobaith y byddai'n ei helpu i adnabod toeau euraidd Tsipango.

Rhoddodd Iestyn Llwyd y llyfr i lawr. Cododd a sefyll wrth y ffenest gan edrych allan ar oleuadau'r siopau a'r tarmac gwlyb. Diffoddodd y lamp wrth ei ymyl. Canodd cloch fach wrth i rywun gamu i'r siop trin gwallt gyferbyn. Am eiliad, tarfodd lleisiau merched ar lonyddwch y stryd, yna canodd y gloch eildro wrth i'r drws gau, a dychwelodd y distawrwydd. Eisteddodd Iestyn Llwyd drachefn. Agorodd y llyfr unwaith eto, ar hap y tro hwn, ac yn ei ben, ac am hwyl yn fwy na dim, dechreuodd gyfieithu:

Ymadewch â Siangan a marchogwch am dridiau drwy ardal o brydferthwch eithriadol lle ceir dinasoedd cyfoethog a threfi nobl sy'n fyw gyda masnach a chelf. Credinwyr yw'r bobl hyn, ac maent yn daeog i'r Can Mawr, ac yn defnyddio arian papur. Mae ganddynt ddigonedd o'r oll sydd ei angen i gynnal bywyd dynol. Yna, wedi tridiau o deithio, fe ddewch at y ddinas nobl o'r enw Cinsai, enw a olyga, yn ein hiaith ni, 'Dinas yr awyr'.

Caeodd Iestyn Llwyd y llyfr. Darllenodd gefn y clawr unwaith eto. *Translated by David Ward.* Ffigwr anhysbys mewn print pitw. Dydy enw'r cyfieithydd, meddyliodd Iestyn Llwyd – mae hyn i gyd yn ei nodiadau – yn ddim mwy na throednodyn ar gefn y clawr. Drychiolaeth ydy o, sy'n eistedd yng nghefn yr ystafell, actor a ddaw at y llwyfan pan fo'r gynulleidfa wedi mynd. Gyda'r theatr yn wag, ni fydd unrhyw un yn ei gofio, na neb yn oedi yn y cyntedd i ddiolch iddo am ei lafur.

Tarfwyd ar y meddyliau hyn gan gloch arall, y tro hwn o'i ffôn. Pan gyrhaeddodd y gegin a'i godi, clywodd lais yn dweud yn Saesneg:

'Dwi'n chwilio am Iestyn Llwyd.'

'Iestyn Llwyd sy'n siarad.'

'Mi adawes i neges, ychydig ddyddiau'n ôl.'

'O...' meddai Iestyn Llwyd.

Aeth y llais yn ei flaen:

'Dwi'n chwilio am gyfieithydd.'

Roedd Iestyn Llwyd wedi llwyr anghofio'r neges ffôn, ond rŵan cofiodd rybudd Dyfan Edwards.

'O ia...' mentrodd. Clywodd y dyn ar ben arall y lein yn anadlu'n ddwfn, fel petai'n tynnu ar sigarét. 'Be sydd gynnoch chi?'

'Hanes,' atebodd.

'Ydy o'n dechnegol?'

'Sori?'

'Oes yna dermau technegol? Arbenigol.'

Edrychodd Iestyn Llwyd drwy ffenest y gegin at yr awyr.

'Nac oes,' meddai'r llall. 'Mwy o stori...'

'Faint o eiriau, yn fras?'

'Dwi ddim yn gwybod. Dydy o ddim wedi gorffen eto.' Distawrwydd. Yn y distawrwydd gallai glywed y dyn yn rhyddhau'r mwg. Yna meddai'r llais, 'Hynny yw, dwi ddim yn siŵr faint ohono dwi isio cael ei gyfieithu. Atgofion ydyn nhw. Math o nofel na fu, ddywedwn ni. Mae angen cyfieithydd arna i er mwyn eu deall nhw.'

'Wela i,' meddai Iestyn Llwyd.

'Roeddwn i'n sicr y byddech chi'n deall,' meddai'r llall.

Tro Iestyn Llwyd oedd hi i fod yn ddistaw rŵan. O'r diwedd, meddai, yn groes i'w reddf, 'Mi fedra i gael golwg arno fo, os hoffech chi.'

'Diolch,' meddai'r llais. 'Yfory?'

'Iawn... mi fedra i fod yn y swyddfa –'

'Beth am gyfarfod y tu allan?'

Oedodd Iestyn Llwyd. 'Tu allan?'

'Beth am y bont grog?'

'Ar ymyl y dref?'

'Ia. Am ddeg?'

Heb allu meddwl pam lai, cytunodd Iestyn Llwyd. Yna, gydag yntau ar fin rhoi'r ffôn i lawr, efallai wrth feddwl am atgofion Marco Polo, clywodd ei hun yn dweud: 'Y stori... yr atgofion dach chi angen eu cyfieithu…'

'Ia?'

'Atgofion pwy ydyn nhw?'

Mwy o oedi. Yna'r ateb:

'Fy rhai i.'

* * *

Y bore wedyn yfodd Iestyn Llwyd ei goffi wrth y drws tra edrychai ar y planhigion roedd wedi'u gosod yma ac acw, yn flodau a llwyni na allai byth â chofio'u henwau. Caeodd ddrws y fflat gyda'r syniad y byddai'n chwilio am lyfr am blanhigion, yna cychwynnodd i gyfeiriad yr afon.

Roedd yn hoff o ddod y ffordd hon. Roedd rhywbeth yn amlinell y bont grog a ddeuai i'r golwg ar lawr gwastad y dyffryn yn ei blesio. A hanes y lle hefyd. Daeth y bont yn sgil y rheilffordd er mwyn hebrwng ymwelwyr dros lawr y dyffryn, o'r orsaf yn y dref i'r pentref bach wrth droed y rhiw. Y bedwaredd ganrif ar bymtheg oedd oes aur y pentref hwnnw, gyda'i ffynnon iachusol, ei lwybrau coediog a'i raeadr tylwyth teg. A dychmygodd Iestyn Llwyd rŵan, nid am y tro cyntaf, y cleifion a'r artistiaid, y daearyddwyr amatur a'r dringwyr o Loegr yn camu oddi ar y trên ar brynhawn o haf, gyda'u hetiau a'u ffyn a'u cistiau pren, gan aros am drol a yrrwyd dros y bont i'w cario i'r gwestai. Wrth nesáu, gwelodd fod yr haf wedi datgelu'r sylfeini pren gwreiddiol o dan y bont, fel atgof materol o'r oes honno. Ond dyna'r cyfan oedd ar ôl o'r dyddiau hynny. Codwyd pont newydd yn lle'r hen un, a pharth i gerddwyr a chŵn oedd y bont bellach, troedfa i ymwelwyr prin yn eu cotiau glaw. A chyfieithwyr yn chwilio am waith, meddyliodd. Camodd ar y bont, gan wylio llif yr afon rhwng y trawstiau pren dan ei draed. Roedd wedi cyrraedd hanner ffordd cyn iddo sylwi bod dyn ar y lan bellaf, yn eistedd ar y fainc efo'i gefn at yr afon. Heb amau dim mai hwn oedd piau'r llais ar y ffôn, aeth Iestyn Llwyd at y fainc a dweud:

'*Are you looking for a translator?*'

Oedodd y dyn am y foment leiaf. Yna, yn araf, trodd i edrych ar Iestyn Llwyd. Syllodd arno am rai eiliadau, fel petai'n ansicr ai efo fo yr oedd o'n siarad. Yna, fel petai wedi cofio'n sydyn ei fod yn aros am rywun, cododd gan estyn ei law a dweud:

'Helô.'

Gafaelodd Iestyn Llwyd yn ei law. 'Helô.'

Eisteddodd y dyn drachefn, ac ymunodd Iestyn Llwyd â fo. Yna, gan droi yn ôl i wynebu'r olygfa, meddai'r dyn:

'Dim yn ddrwg, nac ydy?'

'Mae 'na lefydd gwaeth,' meddai Iestyn Llwyd.

Daeth ysbaid o heulwen i drochi'r llwybr a'r glesni o'u blaenau.

'Mae 'na wastad rywle gwaeth,' meddai'r dyn.

Roedd y gwartheg yn pori yn y caeau llonydd. Y tu draw iddyn nhw, uwch eu pennau, rhedai'r pinwydd yn grib glas yn erbyn yr awyr. Islaw, yng nghesail y bryn, safai'r pentref gan wthio'i fysedd o friciau a llechi i'r coed a ddringai'r llethrau. Teimlodd Iestyn Llwyd y gwynt yn codi'n sydyn. Mae'n rhaid bod y llanw'n troi. Clywodd aderyn yn galw, o'r golwg, ac un arall yn aflonyddu'r gwrych wrth eu hymyl. Rhaid imi drio dysgu'u henwau, meddyliodd.

'Sedd y Cawr ydy hwnna, yntê?'

Roedd y dyn yn amneidio at graig a wthiai drwy'r coed ar y bryn.

'Ia,' meddai Iestyn Llwyd.

'Fanna fyddai'r cawr yn eistedd i oeri'i draed yn yr afon?'

'Mae fersiwn arall yn dweud mai gosod ei droed yno roedd o,' meddai Iestyn Llwyd, 'er mwyn plygu i yfed.'

Trodd y dyn ato. 'Pa fersiwn sy'n wir, deudwch?'

'Y ddau,' atebodd Iestyn Llwyd. 'A 'run ohonyn nhw.'

'Mae'n siŵr fod pob stori'n wir, yn y bôn,' meddai'r dyn, gan edrych eto i gyfeiriad y graig. 'Problem o ddrychau ydy hi. 'Dan ni'n edrych yn yr un drych, ond heb weld yr un peth.'

'Cawr, dyn mawr,' meddai Iestyn Llwyd, 'be ydy'r gwahaniaeth?'

'Mae straeon yn tyfu gydag amser,' meddai'r llall, 'nes bod neb yn cofio'r gwir. Faint o amser sydd angen i ddyn mawr droi'n gawr ar lafar gwlad?'

Gwenodd Iestyn Llwyd. Yna meddai, 'Nid yn aml mae angen cyfieithydd ar rywun er mwyn deall ei stori ei hun.'

Trodd y llall i edrych arno. Yna, fel petai wedi ystyried rhywbeth, meddai, 'Efallai y bydden ni i gyd yn deall ein hanes yn well petaen ni'n cael rhywun i'w gyfieithu.' Yna estynnodd baced o sigaréts o boced ei siaced ac, wrth gynnig un i Iestyn Llwyd, meddai, 'Ydy Iestyn Llwyd yn deithiwr?'

'Dim diolch,' meddai Iestyn Llwyd. Yna, tra taniodd y llall ei sigarét, 'Mewn bywyd arall, efallai.'

'Fasech chi'n dweud bod teithio'n ymestyn ein gorwelion? Ynteu dim ond cadarnhau ein hamheuon mae o?'

Gwelodd Iestyn Llwyd fod y dyn yn ei wylio. Ceisiodd feddwl ai dyfynnu rhywun roedd o. Meddai Iestyn Llwyd, 'Os mai'r oll 'dan ni'n ei gario efo ni ydy amheuon, mae 'na beryg mai dyna'r oll ffeindiwn ni ar y ffordd.'

'Gwir,' meddai'r dyn. Yna anadlodd yn ddwfn, ac ar ôl ychydig meddai, 'Dydy'r manylion ddim yn bwysig, ond weithiau mae pethau'n digwydd i ni, damwain, argyfwng, galwch o be fynnwch chi. 'Dan ni ddim yn cofio pa mor fregus ydan ni, ac y gallwn ni farw unrhyw bryd. Mae bywyd yn fyr a does neb yn marw'n annisgwyl.' Oedodd eto, fel petai'n aros am ymateb. Pan ddaeth 'run, aeth yn ei flaen. 'Mae bywyd yn eich gwasgu chi'n ara deg. Yn hwyr neu'n hwyrach mae rhywbeth yn hollti, weithiau 'dan ni ddim hyd yn oed yn ei glywed o.' Tynnodd yn ddwfn ar ei sigarét.

'Dyna ddigwyddodd i chi?' gofynnodd Iestyn Llwyd.

Aeth y dyn ymlaen, 'Wnaeth y meddygon helpu, wrth gwrs, ond pan mae darnau ohonon ni'n mynd, yn cau siop ac yn diffodd y golau, does neb i'w weld yn siŵr a ddôn nhw'n ôl. Mae'r cyfnod hwnnw'n ddirgelwch i mi, a dwi'n meddwl ei bod hi'n gywir dweud, pan mae'r pethau yma'n digwydd i ni, mai dim ond rhan ohonon ni sydd ar ôl wedyn, fflachiadau fydd yn tanio atgof. Golygfa neu arogl, y golau ar adeg arbennig o'r dydd, efallai. A geiriau. Mae'n dipyn o beth, colli geiriau. Yn sydyn, i fod heb yr union air i fynegi rhywbeth. Nid yn unig i gyfleu eich meddyliau, ond i sôn am bethau cyffredin. Fel coeden, neu gyllell, neu amser. Er mwyn cyfeirio at afon neu'r lleuad neu'r sêr, mae'n rhaid i chi amneidio gyda'ch pen neu bwyntio gyda'ch bys. Dach chi'n gweld?'

'Gan y cwmni,' holodd Iestyn Llwyd yn sydyn, 'gan Dyfan Edwards, gaethoch chi f'enw i?'

Edrychodd y llall arno. Yna, gan droi at y ddaear wrth eu traed, dywedodd yn syml, 'Roedd o'n ymddangos fel y peth naturiol i'w wneud.'

Ceisiodd Iestyn Llwyd ystyried beth oedd yn naturiol ynglŷn â fo. Ond rŵan roedd y dyn wrth ei ymyl yn edrych arno eto ac yn gofyn:

'Fyddwch chi'n cadw dyddiadur?'

'Mae dyddiaduron yn llawn gorffennol,' atebodd. 'Pethau sydd wedi darfod. Mae'r cliw yn y gair.'

'Yn y presennol yn unig dach chi'n byw felly?'

'Oes 'na unrhyw le arall y gallwn ni fyw?'

'Yn y Dwyrain,' meddai'r dyn, 'mae rhai'n credu os cysgwch chi o dan goeden almwn, mi welwch chi atgofion rhywun arall.' Edrychodd Iestyn Llwyd arno. Aeth ymlaen: 'Mae 'na bethau na ddylen ni anghofio. Un peth ydy peidio â meddwl am y gorffennol, peth arall ydy peidio â'i adnabod. A sut allwn ni adnabod ein hunain os nad ydan ni'n gwybod yr hyn 'dan ni wedi'i wneud? Yr hyn 'dan ni'n euog ohono. Beth bynnag, dywedodd ffrind i mi un tro nad ydan ni byth yn byw yn y presennol. Fod y presennol y tu hwnt i'n cyrraedd ni. Mae o'n dianc rhagddon ni, yn darfod cyn inni allu gafael ynddo fo. Ond mae'r gorffennol, ar y llaw arall, yno drwy'r amser. Ac yn tyfu bob dydd. Mae gorffennol y ddau ohonon ni wedi tyfu ers inni eistedd ar y fainc yma.'

'A'r dyfodol yn lleihau?' meddai Iestyn Llwyd gan amneidio at y llwybr syth o'u blaenau nhw. 'Metafforau, dyna i gyd.'

'Efallai. Ond weithiau mae'r llwybr yn bwysig. Neu, i addasu'r metaffor, gall y llwybr y tu ôl i ni fod yn dywyll. Mae gynnon ni orffennol, ond nid un cyflawn.'

'Felly, os dwi'n iawn, mae'ch gorffennol chi mewn iaith nad ydach chi'n ei deall.'

Anadlodd y dyn yn ddwfn. 'Iaith,' meddai, 'sydd wedi mynd yn estron i mi.' Oedodd, yna meddai: 'Ges i fy mendithio – fy melltithio, falla – gyda mwy nag un iaith. Ro'n i'n ifanc ac isio sgwennu. Felly mi sgwennais i, yn iaith fy mam. Cwestiwn o hiraeth, falla. Neu'r ofn y baswn i'n anghofio'r geiriau.' Chwarddodd yn sydyn. 'Ac mewn ffordd, dyna'n union ddigwyddodd. Nid eu bod nhw wedi diflannu, ond eu bod nhw'n mynd yn anghyfarwydd rywsut. Ryw chwe mis yn ôl ddes i ar draws nodiadau. Dechrau nofel, efallai, darnau o fywydau. Ond wrth imi edrych arnyn nhw, wrth imi edrych ar y gorffennol fel petai, y cyfan a welwn i oedd llythrennau mewn du a glas. Mae'r gorffennol yno, ond mewn iaith sydd ddim bellach yn perthyn.'

Ddywedodd Iestyn Llwyd ddim byd. Yn ddiweddarach, pan fyddai'n meddwl yn ôl at y sgwrs hon, nid y geiriau ond y llais a'u cariai y byddai'n ei gofio. A byddai'n meddwl fod rhywbeth yn anarferol ynglŷn â fo, bod rhyw drymder yn perthyn iddo. Roedd y geiriau'n drwsgl, pob un yn garreg a gâi ei llusgo dros lawr graean gan adael ei hôl ar y ddaear.

Penderfynodd mai ôl-effaith y ddamwain, neu pa anffawd bynnag a gafodd y dyn, oedd hyn. Ond ymhen amser byddai'n dod i feddwl nad ar leferydd y dyn roedd y trymder, ond ar ei glyw ei hun, ac mai yn ei ben yntau roedd y graean a'r cerrig a'r arafwch trwm. Ond erbyn hynny fyddai 'na ddim lle i guddio rhag y gwirionedd mai bywyd ei hun sy'n gadael ei ôl, pwysau angof ac amser, a'r mudandod sydd ar wefusau pob un ohonon ni. A byddai'r llais hwnnw fel petai wrth ysgwydd Iestyn Llwyd, yn sibrwd ei stori i'w glust.

Ond rŵan gollyngodd y dyn ei sigarét i'r llawr a'i sathru. Aeth rhai eiliadau heibio. Treuliodd Iestyn Llwyd nhw'n meddwl am eiriau diflanedig. Yna, fel petai'n darllen ei feddwl, meddai'r llall:

'Cyfieithydd. Gwaith diddorol.'

'Mi all fod, ond fel arfer dydy o ddim,' atebodd Iestyn Llwyd.

'Ond dach chi'n dysgu llawer oddi wrth eiriau rhywun.'

'Efallai. Allwch chi ddim gwahanu'r person oddi wrth ei eiriau. Mae pob sgwennu'n hunangofiant, dim ond y manylion sy'n ffuglen.'

'Dipyn bach fel seiciatrydd. Neu offeiriad.'

Gwenodd Iestyn Llwyd. 'Dim cweit mor fawreddog.'

'Fel glanhawr ffenestri, 'ta.'

'Y glanhawr ffenestri ieithyddol?'

'Ia!' meddai'r dyn, wedi'i gynhyrfu'n sydyn. Ac wrth iddo droi i'w wynebu ar y fainc meddyliodd Iestyn Llwyd am eiliad ei fod am afael yn ei fraich. 'Dyna fo!' meddai'r dyn gan amneidio'n eiddgar gyda'i ben, fel petai wedi aros yn hir i rywun rannu ei frwdfrydedd. 'Y ffenest ydy'r geiriau gwreiddiol. Ond nid pawb all weld drwyddi. Mae'r cyfieithydd yn dringo'i ystol, gyda'i risiau o ansoddeiriau a berfau, ac yn glanhau'r gwydr gyda'i glwt a'i ddŵr gan ddatgelu'r un olygfa yn yr un ffenest, ond mewn golau newydd. Rŵan mae eraill yn gallu syllu i'r tywyllwch, heibio'r heulwen, heibio'r idiomau a'r bylchau rhwng y llinellau, nes bod bwriad gwreiddiol y geiriau'n glir.'

'Wel, roedd hi'n un ai hynny neu symud dodrefn,' meddai Iestyn Llwyd. Edrychodd y llall arno, ond ysgydwodd Iestyn Llwyd ei ben a dweud, 'Dim ots.' Yna, 'Y gwir ydy na alla i gyfieithu dim byd i chi. Rhwng Ffrangeg a Saesneg dwi'n gweithio. Alla i 'mo'ch helpu chi os mai yn Gymraeg mae eich gwaith chi.'

'Ond mae gynnoch chi'r iaith?'

'Oes. A choeliwch chi fi, dwi'n deall eich sefyllfa hefyd. Ond alla i ddim bod yn sicr y bydd fy nghyfieithiad yn un ffyddlon. Mi fydd 'na eiriau, gyda'u hystyr a'u cysylltiadau, fydd ar goll i mi.' Yna trodd Iestyn Llwyd at y dyn a dweud rhywbeth y byddai'n meddwl amdano'n ddiweddarach, gan synnu ei hun, oherwydd doedd o ddim wedi meddwl am ddim byd o'r fath ers blynyddoedd. 'Dydy geiriau rhywun arall ddim yr un peth. Mae geiriau'n cyfleu atgofion, cysylltiadau yn ein pennau sy'n arbennig i ni. Mae iaith yn rhan o bwy ydan ni, i lawr yn ddwfn, rywle y tu mewn i ni, yn y lle y daethon ni ohono. Dydy geiriau pobl eraill ddim yn mynd â ni i'r un llefydd.'

Anadlodd y dyn yn ddwfn. Yna, fel un ymdrech olaf gan ddyn blinedig, meddai: 'Dwi'n ffyddiog y bydd eich geiriau chi'n ddigon. Wnewch chi helpu? I wneud synnwyr o'r gorffennol?'

Eisteddodd y dyn yn ôl ac aeth yn ddistaw. Roedd o wedi gorffen adrodd ei hanes. Gadawodd Iestyn Llwyd iddo setlo, fel casgliad o eiriau a daflwyd i'r awyr, ac a oedd rŵan yn disgyn i'r ddaear gan drefnu eu hunain wrth ei draed. Arhosodd i glywed a oedd mwy i ddod, a phan synhwyrodd nad oedd dim, meddai:

'Dach chi'n gofyn imi wneud mwy na chyfieithu. Os ydy eich stori chi'n cynnwys eich gorffennol, fyddwch chi'n ei drosglwyddo i 'nwylo i. Yn fy ngeiriau i y byddwch chi'n clywed eich hanes. Mae'r peth yn beryglus.'

'Mae'r gorffennol ei hun yn beryglus. Mae'n bosib ei lywio fo, ei ffugio, ei harddu, ei hepgor yn gyfan gwbl. Ond nid ni bob tro ydy'r rhai gorau i adrodd ein hanes ein hunain.' Ar y gair, estynnodd y dyn at ei ochr. 'Dyma'r rhan gyntaf,' meddai, gan estyn amlen iddo. 'Gawn ni o leia weld be fydd gan y gorffennol i'w gynnig?'

Dyna pryd, meddyliodd Iestyn Llwyd yn ddiweddarach, y dylai fod wedi dweud yn syml, Mae'n ddrwg gen i, ond nid fi ydy'r un i'ch helpu chi, well i chi gael rhywun arall i gyfieithu i chi, a beth bynnag dwi'n brysur, dwi newydd ddechrau ar y gwaith Marco Polo 'ma, fedra i ddim. Ond yn lle hynny cymerodd yr amlen, a dweud:

'Mi gysyllta i.'

Syllodd arni, fel petai'n rhywbeth byw. A theimlodd rywbeth nad oedd wedi'i synhwyro ers tro, teimlad a oedd yn debyg iawn i chwilfrydedd.

'Does dim brys,' atebodd y llall. 'Dwi'n aros yn y fflatiau wrth y bont, ond dwi'n ôl ac ymlaen. Mi ffonia i. Neu efallai wela i chi yma.'

Cododd y ddau. Estynnodd y llall ei law unwaith eto.

Roedd ei afael yn gadarn, ac edrychodd Iestyn Llwyd i'w wyneb. Wyneb a allai berthyn i unrhyw ddyn. Roedd ar fin troi pan gofiodd yn sydyn nad oedd yn gwybod ei enw.

'Ah! Simon,' meddai'r llall. 'Simon Lewis.' Ac yna, mewn arwydd y byddai Iestyn Llwyd hefyd yn meddwl amdano yn ddiweddarach, cododd ei law dde, ac efo'i fynegfys gwnaeth arwydd o salíwt filwrol. Amneidiodd Iestyn Llwyd gyda'i ben. Yna trodd am y bont. Pan drodd ar y lan bellaf i edrych, roedd y fainc yn wag a Simon Lewis wedi mynd.

Yn ei wely y noson honno gorweddodd Iestyn Llwyd gan syllu i'r tywyllwch. Meddyliodd am gewri, am ddyddiaduron ac am amser yn llifo fel afon. Yna, gan lithro o'r diwedd i gwsg dwfn, mewn breuddwyd y byddai'n ei chael eto, canfu ei hun uwchben y stryd yn dringo ystol at ffenest uchel yn llygad yr haul, gyda bwced o ddŵr a chadach yn ei law.

Gan ddal yr ystol gydag un llaw, gyda'r llaw arall mae'n dechrau glanhau'r ffenest. Ac wrth i'r baw ildio i'w glwt, mae'n dirnad ffigwr dyn yn eistedd yn y cysgodion yr ochr draw i'r gwydr. Gan bwyso'i wyneb yn erbyn y ffenest mae'n sylweddoli bod y dyn yn trio dweud rhywbeth, ond dydy'r geiriau ddim i'w clywed drwy'r gwydr a sŵn y traffig islaw. Felly mae'n rhwbio'n galetach, fel petai eglurder y geiriau'n ddibynnol ar loywder y ffenest, nes bod yr ystol yn ysgwyd a'r dŵr yn tasgu dros ymylon y bwced. Yna mae'n gweld bod y dyn wrthi'n sgwennu rhywbeth, ac mae'n codi darn o bapur a'i ddal i gyfeiriad Iestyn Llwyd, ond mae'r heulwen yn disgleirio ar y gwydr a'r dyn yn rhy bell yn y cysgodion. Ond rŵan mae'r dyn yn codi. Ac wrth iddo ddechrau croesi'r ystafell mae Iestyn Llwyd yn sylweddoli ei fod wedi gweld yr wyneb o'r blaen, felly mae'n plygu ac yn gwyro'i ben i weld yn well, a dyna pryd, gyda'r ystol yn dechrau siglo, mae'n sylweddoli mai fo ydy'r dyn yr ochr draw i'r gwydr, mai fo sy'n ceisio dweud rhywbeth, ei neges ei hun sydd yn ei law. Mae Iestyn Llwyd, y glanhawr ffenestri, yn ceisio sythu'r ystol, ond pan mae'r dyn, Iestyn Llwyd y negesydd, ar fin camu i heulwen y ffenest mae'r ystol yn gwyro'n ôl, ac mae'r ffenest a'r neges a'r dyn yn yr haul yn ymbellhau, ac yntau'n disgyn, drwy'r heulwen a'r awyr wag, heibio i ffenestri disglair y lloriau is, i lawr ac i lawr at y ffordd islaw. A dyna pryd mae Iestyn Llwyd yn deffro, am bedwar o'r gloch y bore, eiliad cyn taro'r stryd.

4

Bwganod

Aeth wythnos heibio, efallai mwy. Chlywodd Iestyn Llwyd ddim byd gan Simon Lewis, ac roedd hynny'n rhyddhad oherwydd doedd o ddim wedi cyfieithu gair iddo fo. Un bore cafodd e-bost o Ddinas Québec. Ynddo, soniodd Dyfan Edwards am ei drafferthion efo'r acen leol, am ei hiraeth am goginio'i wraig, ac am y tarth a godai o afon Saint-Laurent. Aeth Iestyn Llwyd heibio'r swyddfa i wirio'r negeseuon ffôn, dechreuodd o ddifrif ar Marco Polo, a thrwy'r amser arhosodd amlen wen Simon Lewis ar gornel ei ddesg lle y gadawodd hi. Y gweddill o'r amser cerddodd.

A cherdded roedd Iestyn Llwyd un prynhawn, heibio'r ogofâu rhwng y ddau lyn wedyn yn ôl i lawr drwy'r coed, pan aeth i feddwl am nod roedd ganddo synnwyr annelwig o fod wedi'i geisio ei hun un tro, sef anghofio. A meddyliodd: os na allwn ddileu'r delweddau yn ein cof, mi allwn ni geisio dileu'r geiriau sy'n eu cynnal, iaith y gorffennol sy'n grud i'n hiraethau. Ond y gwrthwyneb oedd nod Simon Lewis, meddyliodd Iestyn Llwyd. Dyma ddyn a geisiai'r union beth roedd yntau'n cerdded rhagddo, sef fo'i hun.

Roedd Iestyn Llwyd, drwy gyfuniad anochel o ddamwain a bwriad, wedi cilio dros y blynyddoedd i fyd ynysig o'i wneuthuriad ei hun. Yr unig gyfathrebu o bwys a gawsai gydag unrhyw un bellach oedd gyda'i fòs. Doedd o erioed wedi gweld Dyfan y tu allan i'r swyddfa, a doedd bywyd personol Dyfan, ei wraig a'i blant, yn ddim mwy na delweddau yn nychymyg Iestyn Llwyd. Perthnasau arwynebol oedd ganddo gyda phobl, gyda llwyddiant y perthnasau hynny'n dibynnu ar barhad yr union fwlch y mae cysylltiad arferol yn ceisio'i lenwi. Doedd ganddo 'run amheuaeth mai bwriadau da a barodd Dyfan i gyfeirio Simon Lewis ato, ond roedd yr holl beth wedi tarfu ar heddwch Iestyn Llwyd.

Oherwydd nid gwaith syml o gyfieithu 'mo hwn. Dyma ddyn yn gofyn iddo ganfod nid geiriau, ond rhywbeth ohono fo'i hun. Dyma ran o fywyd unigolyn wedi'i ymddiried i'w ofal, gan ei dynnu i gylch dynol roedd Iestyn Llwyd wedi hen gefnu arno. Fel petai'n cyfarch yn rhadlon, o'i ynys anial ei hun, bobl a godai law arno o fwrdd llong a hwyliai heibio, nes sylweddoli mewn arswyd bod y llong yn troi i gyfeiriad y lan. Roedd dod â'r tudalennau hynny i'r tŷ fel agor y drws i ddieithryn. Cyn belled â bod yr amlen honno'n aros ar gau, rhesymodd, byddai'r ymwelydd yn cadw'n dawel yn y gornel.

Ystyriodd hyn oll: ystyriaethau, ar ôl iddo ddod o hyd iddo, y byddai'n eu sgwennu yn ei lyfr nodiadau, gan feddwl mai peth felly ydy'r gorffennol. 'Dan ni i gyd yn rhannu'n gofod efo fo. Ond tra mae rhai ohonon ni'n falch o'i gwmni o flaen y tân gan fwynhau cofio dyddiau a fu, mae'n well gan eraill ei osgoi. Tra mae eu hymwelydd o'r gorffennol yn destun pleser ac atgofion mwyn i rai, gwestai annifyr ydy o i eraill, ac ar flaenau'n traed yr awn ni heibio i'w ddrws caeedig, rhag ei ddeffro. Dan ni'n ddau berson yn rhannu'r un to, dau realiti yn yr un pen, gyda'r naill yn gwadu presenoldeb y llall.

Y natur ddeublyg hon a aflonyddai ar Iestyn Llwyd, gyda'r chwilfrydedd a deimlai at waith gwahanol i'r arfer yn brwydro gyda'i amheuon ynglŷn â'i gywirdeb. Cysurodd ei hun gan resymu unwaith eto fod elfen bersonol ym mhopeth 'dan ni'n ei ddweud, a bod pob cyfathrebiad yn bradychu'r preifat. Os ydy rhan ohonon ni'n bodoli yn ein dyddiadur, mae rhan arall i'w gweld yn ein rhestr siopa, neu yn y nodyn olaf a adawyd ar fwrdd y gegin. Ac yn y geiriau 'dan ni'n eu dewis wrth gyfieithu, meddyliodd. Does dim modd gwahanu'r geiriau ar y papur oddi wrth yr inc, yr inc oddi wrth y llaw, na'r llaw oddi wrth y meddwl sy'n ei gyrru. Dydy ein geiriau ond yn arwyddion allanol ohonon ni'n hunain. Rhywle y tu ôl i'n geiriau, yn y bylchau rhwng y synau, mae ystyr sy'n ymestyn ymhellach na'r neges ei hun, yn ôl ymhellach na'r fraich. Rydyn ni'n cynnwys ein geiriau ac mae ein geiriau'n ein cynnwys ni.

Beth bynnag, roedd o wedi derbyn y gwaith rŵan. Dim ond cyfieithydd ydw i, rhesymodd o'r diwedd. Dyna i gyd ydy Iestyn Llwyd i Simon Lewis: y sawl a fydd yn trosi geiriau o fod yn arwyddion diystyr ar bapur i fod yn ffeithiau caled ei fywyd. Ac wedi'r cwbl, ei orffennol o ydy o, felly be ydi'r ots?

* * *

Roedd Iestyn Llwyd yn eistedd wrth ei gyfrifiadur yn ymchwilio i effeithiau ar yr ymennydd yn dilyn damweiniau, llawdriniaeth a strôc, pan ddaeth ar draws stori y cofiodd iddo'i chlywed o'r blaen, ond methai yn ei fyw â chofio ymhle. Wrth iddo ddarllen hanes Phineas Gage, felly, dechreuodd Iestyn Llwyd dybio a allai niwed o'r fath ddigwydd o ganlyniad i chwalfa nerfol hefyd. Doedd Simon Lewis ddim wedi manylu ynglŷn â'r hyn a ddigwyddodd iddo fo, ond rŵan penderfynodd Iestyn Llwyd, y cyntaf mewn cyfres o benderfyniadau tyngedfennol yn ystod y cyfnod hwn, mai rhywbeth tebyg oedd wedi digwydd i'w gleient newydd.

Roedd y stori fel hyn:

Yn 1848 roedd Phineas Gage, yn wreiddiol o fferm yn New Hampshire, yn gweithio i gwmni Rutland & Burlington oedd yn adeiladu rheilffyrdd. Roedd yn ddyn poblogaidd a hawddgar, a chyn bo hir derbyniodd y cyfrifoldeb amheus am osod deinameit yn y graig. Un diwrnod, wrth lefelu'r tir yn ardal Vermont, roedd wrthi'n gosod y pìn ffrwydro yn y ddaear pan daniodd y deinameit yn ddirybudd. Ac yntau'n sefyll uwchben y teclyn ffrwydro, chwythwyd y beipen danio i fyny ac yn llythrennol drwy ben Gage. Pan godwyd y pìn – peipen fetel ddwy fodfedd o led a dwy lathen o hyd – dri chan llath i ffwrdd, roedd olion gwaed a darnau o benglog ac ymennydd Phineas Gage wedi'u gludo iddi. Roedd y beipen wedi pasio drwy asgwrn ei foch chwith, i fyny drwy ei ymennydd, ac allan drwy gefn ei ben.

Yn wyrthiol, fe oroesodd. Cafodd ei gario o'r fan, ond ymhen oriau roedd yn eistedd yn ei wely yn yr ysbyty yn sgwrsio gyda'r nyrsys a'r penaethiaid gwaith. O fewn rhai wythnosau, gyda chlwt du dros ei lygad coll, roedd yn cerdded ar hyd strydoedd Kansas fel petai dim yn bod. Yn ddiweddarach aeth ar daith yn adrodd ei hanes, gyda'r pìn ffrwydro ar y llwyfan wrth ei ymyl, fel petai hwnnw wedi tyfu i fod yn rhan ohono.

Ond y peth diddorol ynglŷn â'r holl stori oedd yr hyn a ysgrifennwyd am Phineas Gage yn y blynyddoedd ar ôl y ddamwain. Honnai rhai oedd wedi ymddiddori yn yr achos na fu Phineas Gage yr un dyn wedyn, a bod ei gymeriad wedi newid yn llwyr. Casglwyd tystiolaeth gan bobl oedd yn ei nabod cyn y ddamwain a awgrymai nad y person cyfeillgar a charedig hwnnw roedd pawb yn ei gofio oedd o bellach, ond dyn anghwrtais a byr ei dymer. Roedd y beipen ffrwydro a basiodd drwy'r dyn wedi gadael ei hôl arno. Neu wedi mynd â rhywbeth o'r dyn efo hi.

Meddyliodd Iestyn Llwyd yn ôl am y dyn wrth y bont. Gallai niwed i ardaloedd yr ymennydd fel y Broca a'r Wernicke arwain at affasia a cholli iaith. Ond gwyddai Iestyn Llwyd hefyd, er bod gallu ieithyddol i'w ganfod mewn rhan benodol o'r ymennydd, nad ydy ieithoedd unigol – mamiaith, er enghraifft, ac iaith a ddysgwyd yn hwyrach mewn bywyd – wedi'u lleoli yn union yr un fan. O ganlyniad, gall niwed i'r ymennydd effeithio ar un iaith gan adael iaith arall yn gyflawn.

Chwiliodd ymhellach. Darllenodd drwy'r hanesion o golli lleferydd, o baralasis ac anhawster ynganu. Darllenodd fel y collai rhai pobl y gallu i ddirnad y gwahanol ystyron o fewn geiriau: roedd eu greddf i ddadansoddi popeth yn llythrennol yn eu rhwystro, er enghraifft, rhag deall yr ystyr ddwbl mewn jôc. Methai eraill â chysylltu geiriau gyda gwrthrychau. Mewn un achos, pan ddangoswyd lluniau i ferch, o geffyl neu frws dannedd, dywedwn, methai yn ei byw ag enwi'r pethau hynny wrth edrych ar y lluniau. Er ei bod yn defnyddio'r geiriau'n naturiol mewn sgwrs, roedd fel petai'r llwybr a gysylltai'r ddelwedd o geffyl gyda'r gair 'ceffyl' wedi'i rwystro, a'r llinyn a'u clymai wedi'i dorri. Mae'r ymennydd yn rhwydwaith o sianeli cysylltiedig, gyda niwed yn tarfu ar lif yr wybodaeth, nes bod rhwystrau'n datblygu rhwng ardaloedd y meddwl a bylchau'n ymddangos ar hyd y wifren. Ar brydiau mae drysau'n cau'n glep, gan adael gofod lle cynt roedd geiriau. Ac i ddyn heb gof, ystyriodd Iestyn Llwyd gan feddwl rŵan am Simon Lewis, be well na chofnod ysgrifenedig o'i fywyd i ddangos ei orffennol iddo? Ond wrth i Simon Lewis wella, meddyliodd Iestyn Llwyd, yr ieithoedd eraill ddaeth yn eu holau, nid ei iaith gyntaf.

Cododd Iestyn Llwyd ei ben gan edrych drwy'r ffenest uwchben ei ddesg, a meddyliodd am hen bobl ar eu gwely angau sy'n troi'n sydyn at iaith angof, fel petai llais eu plentyndod yn siarad unwaith eto.

A dyna pryd mae'n digwydd.

Wrth i'w sylw ddychwelyd i'r ystafell ac at y mater o'i flaen, mae rhywbeth yn dod ato, rhywbeth mor annisgwyl nes ei fod yn ei ddychryn, fel curiad brys ar y drws. A phan mae Iestyn Llwyd yn agor y drws, mae llaw ar ei ysgwydd yn ei arwain i ystafell ysbyty, llaw dyn nad ydy o wedi meddwl amdano ers talwm. Llaw ei dad. Ac mae'r llaw honno yn ei wthio drwy ddrws lle mae'r llenni ar gau rhag heulwen y prynhawn, a lle mae 'na wely, ac yn y gwely mae 'na ddyn, a'r dyn ydy Yncl Robart. Sut mae o'n cofio hynny, dydy Iestyn Llwyd ddim yn gwybod. Ond yn ei gof mae dynion yn sefyll o amgylch y gwely, ac mae llygaid Yncl Robart yn symud o wyneb i wyneb ac yn crwydro o'r nenfwd at ei fraich sy'n gorwedd yn segur ar y llieiniau gwyn. Mae ei geg yn hanner agored mewn ystum nad ydy'r bachgen hwnnw – a dyma y mae Iestyn Llwyd yn rhyfeddu ato rŵan – erioed wedi'i lwyr anghofio. Oherwydd cofia hefyd rŵan fod y dyn yn y gwely yn rhywun a fyddai'n byrlymu â geiriau. Ond petai'r dynion a safai wrth ei wely wedi aros tan fachlud haul, fydden nhw ddim wedi clywed yr un gair o wefusau Yncl Robart. Mae ei ymdrechion dychrynllyd i siarad yn dod yn ôl at Iestyn Llwyd, y synau'n glymau gyddfol nad oedd neb yn eu deall. Ac mae'n cofio'r teimlad o euogrwydd wrth ddymuno'n slei bach yn ei ben y byddai'r dyn toredig hwn yn rhoi'r gorau i drio. Camai ei ffrindiau'n aflonydd o un droed i'r llall gan wneud eu gorau i osgoi llygaid y dyn hwn a fu unwaith mor ffraeth, ond yr oedd geiriau bellach wedi cefnu arno. Roedd y gwrthgyferbyniad yn llenwi'r ystafell, nes bod gan rywun ofn agor ei geg rhag pwysleisio'r eironi arswydus. Efallai i rywun ddweud rhywbeth i geisio ysgafnhau'r awyrgylch, ond dydy hyn yn gwneud dim ond gwylltio Yncl Robart, gan sbarduno cyfres o synau sy'n ymdebygu i regi, ac, yn y diwedd, maen nhw'n mynd. Mae'n cofio'r distawrwydd wrth i'r dynion estyn llaw at fraich ddiffrwyth gan fwmian gair aneglur neu ddau, fel petai eglurder yn sarhad yn y fath le, cyn i'r sibrwd gael ei foddi gan lithro brysiog eu traed am y drws.

A dyna ddiwedd yr atgof.

Eisteddodd Iestyn Llwyd yno gan syllu o'i flaen. Rhyfeddol, eu bod nhw'n dal yno, y ffigyrau yma oedd wedi hen farw. Arhosodd i'r tristwch ddod. Ond ddaeth o ddim. Yn ei le roedd math o fudandod a lenwai'r ystafell o'i amgylch, fel rhywbeth corfforol. Sylwodd ei bod hi'n dywyll y tu allan. Rhyfeddol, meddyliodd eto. Fod angen dyn di-gof arno i danio'i atgofion ei hun.

Y noson honno gorweddodd Iestyn Llwyd yn hir yn y tywyllwch. Cododd o'r diwedd yn oriau mân y bore ac, efallai er mwyn canfod lloches yng ngeiriau rhywun arall, aeth at ei ddesg. Yno, i guriad ysgafn y glaw ar y gwydr uwchben, estynnodd am amlen Simon Lewis a'i throi, nid am y tro cyntaf, fel petai'n chwilio am arwydd neu enw, er y gwyddai'n iawn fod yr amlen yn lân. Agorodd y pen a'i dal nes i'r tudalennau lithro allan: tudalennau teip heb eu rhifo, gydag ysgrifen ar un ochr yn unig. Yna, heb feddwl pam, ac yn groes i reol aur y cyfieithydd, yn hytrach na darllen y testun yn ei gyfanrwydd er mwyn canfod llais yr awdur, gosododd Iestyn Llwyd y dudalen gyntaf ar y ddesg wrth ei ymyl, a dechreuodd gyfieithu:

Dychmygwch hyn: dyn yn camu oddi ar y trên un noson lawog gyda dim byd ond rhif ffôn dienw a'r teimlad annifyr o fod wedi byw y noson hon o'r blaen. Dydy o ddim, wrth gwrs. Does dim byd yn digwydd ddwywaith.

Cyfieithodd Iestyn Llwyd am yr orsaf a'r ffôn, y ddau greadur yn y caffi, am y sinema a'r ferch a'r gwely dan y ffenest. Atgofion tameidiog, wedi'u sgwennu mewn ysbaid o gallineb, o daith ddryslyd drwy'r ddinas a'r glaw. Darnau o fywyd, meddyliodd, na wnâi unrhyw synnwyr bellach i'r sawl a fu'n eu byw. Ond gwelodd Iestyn Llwyd fod ei eiriau ei hun yn llifo, yn croesi rhwng y ddwy iaith. Fel cyfeillion ar ddwy lan afon sydd nid yn unig yn adnabod ei gilydd, ond hefyd yn cael eu synnu gan bresenoldeb pont. A dyna pryd oedodd, gan deimlo'r awydd rhyfeddaf i roi geiriau o'i eiddo ei hun ar bapur. Felly chwiliodd am lyfr nodiadau a brynodd un tro mewn tref ar lan y môr. Ond yn ofer.

* * *

Daeth o hyd iddo'r diwrnod wedyn. Deffrodd o freuddwyd a oedd hefyd yn atgof, cododd a gwisgo, yna cerddodd, dan awyr unlliw wen, at yr afon. Sylwodd ar gochni'r coed cynhenid a frithai'r goedwig bin ar y bryniau, ac wrth ddod at y bont sylwodd nad oedd mynediad o'r stryd i'r fflatiau wrth yr afon lle roedd Simon Lewis yn aros. Cerddodd ymlaen ar hyd y lan a meddyliodd am afonydd eraill a hen sinemâu, a meddyliodd a oedd ganddo yntau gopi o *One Flew Over the Cuckoo's Nest*. Felly pan gyrhaeddodd adref plygodd o dan y grisiau ac estyn y blwch llyfrau nad oedd wedi'i agor ers blynyddoedd. Wrth chwilio am rywbeth arall, felly, ar ei liniau efo tortsh yn ei law, y daeth Iestyn Llwyd ar draws clawr lledr hen lyfr nodiadau. Cododd y llyfryn a datod y llinyn.

Cafodd ei synnu i ddechrau gan y bodlonrwydd a brofodd o ddod o hyd iddo, ac yna, wrth godi'r clawr, gan gysur annisgwyl y papur gwyn. Sylwodd ar rwyg ar yr ymyl, fel petai'r tudalennau cyntaf wedi eu rhwygo ymaith. Ond yna anwesodd y papur, fel petai'r geiriau eisoes yno yng ngwead y pren, yn aros i'r inc eu datgelu. Eisteddodd wrth ei ddesg ac, yn ffrwd doredig fain i ddechrau, dechreuodd y geiriau ddod. Daethon nhw i'w ben yn gyntaf. Ymddangoson nhw o bellteroedd y meddwl, yn wrthrychau allan o dyfiant trwchus y cof gan gamu'n betrusgar i'r golau, dieithriaid pell mewn cae gwag. Yna, yn fwy hyderus wrth wthio'i gilydd i'r tir agored, dechreuodd ei eiriau lifo, fel gwyrth mewn inc croyw, gan ddod i orffwys ar wely meddal y dudalen wen gyntaf.

Ysgrifennodd Iestyn Llwyd iddo gerdded dan awyr wen, iddo ddechrau ar ddarn newydd o waith, ac i atgof ddod ato ar ffurf breuddwyd. A gredai fod y tri pheth – yr awyr, y cyfieithu a'r freuddwyd – yn gysylltiedig? Does yna 'run modd inni wybod:

Yn fy mreuddwyd, sydd hefyd yn atgof – ysgrifennodd Iestyn Llwyd gan ddarfu ar ei ddistawrwydd ei hun – dwi'n blentyn unwaith eto, a fedra i deimlo'r ysbrydion o 'nghwmpas. Mae fy rhieni yma, yn ogystal â ffrindiau i ni, ond mae yna eraill yma hefyd. Mae'r pryd wedi dod i ben, ac yn y golau tawel sy'n crogi dros y bwrdd, mae'r oedolion yn siarad. Y tu hwnt i gylch y golau mae hen ddesg yn y gornel, dresel dywyll yn erbyn y wal, a llen drwchus dros ddrws gwydr sy'n arwain i'r ardd. Y tu ôl i mi mae drws arall, sydd hefyd ar gau, ac yn arwain i'r cyntedd. Mae'r cyntedd yn dywyll. Mae grisiau yno'n arwain i'r tywyllwch pellach uwchben, ac mae yno hen gloc ar y wal sy'n tician yn uchel. Dwi'n gwybod. Dwi wedi bod yno o'r blaen. Nid breuddwyd newydd 'mo hon.

Ond heno o'r diwedd dwi'n deall nad y cysgodion y tu hwnt i'r golau a ddychrynai'r bachgen, na chwaith y cloc yn y cyntedd tywyll. Dwi'n gweld rŵan mai'r sgwrs o amgylch y bwrdd sy'n codi'r ias, mai yn y geiriau mae'r ysbrydion yn trigo. Oherwydd mae'r oedolion wrth y bwrdd yn siarad am y gorffennol.

'Lle wnaethon ni aros?' gofynna rhywun.

'Yn nhŷ Marek,' meddai rhywun arall.

'Ond doedd o ddim yno,' dywed wyneb arall.

'Doedd o ddim isio byw yn y tŷ yna, ar ôl Lena,' meddai rhywun arall eto.

I'r bobl o amgylch y bwrdd atgofion ydy'r rhain. Mae'r enwau'n cyfateb i unigolion o gig a gwaed. Ond nid dyna mohonyn nhw i'r plentyn. I'r bachgen hwnnw roeddwn i'n arfer bod, does yna 'run wyneb na chorff y tu ôl i'r enwau. Casgliad o synau ydyn nhw; blychau gweigion, bodau diwyneb a disylwedd. Maen nhw'n nofio ar awyr lonydd yr ystafell, yn closio at y waliau ac yn llithro y tu ôl i'r llenni. Ond mae crybwyll eu henwau yn eu galw i mewn, yn eu gwahodd i ail-ddwyn eu ffurfiau o amgylch y bwrdd.

Heno, fi ydy'r bachgen hwnnw unwaith eto. Dwi'n eu teimlo nhw, ar hyd y blynyddoedd, yn sleifio y tu ôl i mi gan ymgasglu wrth y drws, yn gwau rhwng ei gilydd wrth ail-fyw eiliad, pennod oedd yn eu cynnwys, gwaddodion digwyddiad sy'n bodoli'n unig yng nghof eraill. Ac mae hwn yn fywyd, o fath, y goroesi hwn yn atgofion rhywun arall. Os angof ydy marwolaeth, dydyn nhw ddim yn feirw. Mae'r coridor yn drwchus gyda nhw, yn gwrando am leisiau i'w denu o'r tywyllwch, i ddod â nhw yn nes a'u galw i'r golau. Dyna mae'r freuddwyd yn ei ddangos i mi.

Ond chân nhw ddim aros – gorffennodd Iestyn Llwyd – prin ein bod yn dirnad eu ffurfiau ac maen nhw'n diflannu unwaith eto, gan adael dim yn y stafell ond synnwyr aflonydd o bresenoldeb a fu. Atgofion ydyn nhw.

Bwganod.

RHAN 2

5
Lluniau

Gallai glywed y ffôn o'r tu allan ond gollyngodd y goriad wrth agor y drws ac erbyn iddo gyrraedd roedd y canu wedi peidio. Ond roedd yna neges.

– *Hello, it's Simon Lewis here. Calling about the translation. I'm in Victoria Place, as I said. Number seven. Call by.*

Ceisiodd Iestyn Llwyd greu darlun yn ei ben o'r fflatiau gyferbyn â'r bont, gan ddyfalu pa ffenest a berthynai i Rif 7. Yna sylweddolodd fod y peiriant yn dal i redeg. Doedd o ddim wedi dileu'r neges gyntaf ganddo, ac roedd Simon Lewis yn siarad unwaith eto. Yn gyflym, nododd y rhif. Arhosodd ychydig, yna deialodd y rhif ond atebodd neb.

Dyna pryd, wrth roi'r ffôn yn ôl yn ei le, y daeth Iestyn Llwyd at benderfyniad arall, sef bod angen mwy na chyfieithydd ar Simon Lewis. Mae'n anodd gwybod beth a barodd i Iestyn Llwyd feddwl hyn. Efallai mai ei atgofion cynharach ynglŷn â'i blentyndod a wnaeth hynny, neu o bosib ei freuddwydion diweddar. Neu efallai iddo feddwl am rywun yn eistedd wrth yr afon yn chwilio am y geiriau a fu un tro'n cyfleu ei fywyd, a'i fam a'i dad a'i enw ei hun. Pysgotwr unig ar lan afon sych, oedd angen mwy na dim ond cyfieithydd.

Trodd y broblem yn ei ben. Ystyriodd a ddylai wneud

crynodeb o'i ganfyddiadau wrth fynd, math o adroddiad a fyddai'n cynnig persbectif i Simon Lewis wrth i'r gorffennol ddod yn fyw iddo. Ond dyna, mewn ffordd, oedd pwrpas y cyfieithiad, felly gwrthododd y syniad. Ond yna cafodd syniad arall, un nad oedd rheswm dros ei gael. Y confensiwn ydy na allwn adnabod y presennol heb ddeall y gorffennol. Ond beth os oedd y gwrthwyneb hefyd yn wir? Er mwyn deall pwy oedd rhywun ddoe, pam na ellir dechrau efo heddiw, gan weithio'n ôl? Dyma'r trydydd penderfyniad, penderfyniad nad oedd neb arall yn gyfrifol amdano ond Iestyn Llwyd ei hun. Doedd ganddo 'run cynllun mewn golwg, felly dechreuodd gyda'r ychydig oedd ganddo: roedd dyn yn aros ym Mhlas Fictoria, a'r tu ôl iddo roedd trên a'i cariodd yn ôl i Baris, sinema, merch mewn bar, a'r glaw. Rywle ymysg atgofion bregus y noson honno roedd darn hanfodol o Simon Lewis i'w ganfod, ac roedd yntau am ei helpu i ddod o hyd iddo. Dyma resymeg amheus Iestyn Llwyd. Roedd yn ymddangos fel y peth naturiol i'w wneud.

Y diwrnod wedyn rhoddodd amlen Simon Lewis ym mrest ei gôt a cherddodd allan i law mân hydrefol. Gorweddai'r lleithder dros y dyffryn gan grogi'r bryniau a phwyso ar yr awyr uwchben y bont fawr a'r orsedd yn y parc. Aeth at gefn Plas Fictoria. Roedd drws mawr gyda phanel o fotymau ag enwau'r preswylwyr arno, ond doedd yna 'run enw wrth Rif 7. Gwasgodd y botwm. Pan na ddaeth ateb trodd Iestyn Llwyd handlen y drws. Roedd ar agor.

Yn y cyntedd roedd stribyn o olau ar y nenfwd yn goleuo rhes o flychau post ar hyd un wal. Heibio'r rhain roedd drws arall gyda ffenest ynddo. Camodd at hwn a phwyso'i drwyn at y gwydr. Yr ochr draw gwelodd gyntedd arall a grisiau'n arwain i fyny. Trodd yr handlen ond roedd hwn wedi'i gloi. Aeth yn ôl at y blychau a chwilio am flwch postio Rhif 7. Doedd 'run enw yma chwaith, ond roedd rhywbeth yn y blwch. Edrychodd Iestyn Llwyd dros ei ysgwydd, yna estynnodd ei law i mewn a thynnu amlen wen allan. Arni, mewn llythrennau bras, roedd ei enw. Yn amlwg doedd ei gyfaill ddim am aros i weld canlyniad y cyfieithiad cyntaf wedi'r cwbl. Estynnodd yr amlen gyntaf o frest ei gôt a'i gollwng i'r blwch, yna gwthiodd yr amlen newydd i'w lle. Taflodd olwg olaf at yr ail ddrws, yna agorodd y drws allanol a chamu i'r glaw a ddisgynnai'n drymach erbyn hyn.

Ar ei ffordd adref aeth heibio'r swyddfa. Aeth drwy'r drws cefn er mwyn osgoi'r gweithwyr eraill, ac yn syth i ystafell Dyfan. Gwrandawodd ar y negeseuon llais gan nodi'r manylion ar ddarn o bapur. Yn ôl yn y coridor, oedodd. Roedd yr adeilad yn llonydd a gwag. Camodd ymlaen. Yna, yn dawel, gwthiodd ddrws y brif ystafell ar agor. Doedd neb yno. Roedd y desgiau'n wag a'r cyfrifiaduron yn segur. Mentrodd i mewn. Camodd yn araf at ganol yr ystafell, yna safodd. O'i flaen roedd ffenestri llydan y swyddfa, a'r sgwâr y tu allan. Roedd hi'n dechrau nosi.

Beth oedd ar ei feddwl, fedrwn ni ond dyfalu. Efallai iddo wylio'r dydd yn dirwyn i ben. Neu'r bobl yn mynd heibio, gan ddychmygu'r cartrefi oedd yn eu disgwyl, y cotiau'n crogi yn y cynteddau hir, a lampau mwyn eu hystafelloedd byw. Efallai iddo geisio deall bodlonrwydd eu byd. Ond yna cododd ei ben ac edrychodd tua'r awyr wag uwchben y sgwâr. Petai unrhyw un a'i gwyliai, efallai o gysgod drws un o'r siopau, wedi edrych yn ddigon hir heibio i ffenest y swyddfa, heibio'r gwydr ac adlewyrchiad y stryd a'r cymylau symudol uwchben, y cyfan y byddai wedi'i ddirnad fyddai ffurf yn y cysgodion, dim mwy nag amlinell dyn cymharol denau yn sefyll yn ei unfan gan syllu heibio'r stryd, heibio'r dref, i'r awyr y tu hwnt. Ac efallai y byddai'r sawl a wyliai wedi troi i edrych i'r un cyfeiriad, yntau hefyd wedi dilyn ei olwg at y clytiau o lesni uwchben, gan weld y siapiau'n ymffurfio ac yn chwalu yn y dydd oedd yn pylu. Ond os dyna wnaeth y gwyliwr, pan drodd ei olwg yn ôl i gyfeiriad y sgwâr roedd y ffigwr yn y ffenest wedi mynd.

* * *

Roedd Joni Zlatko – cyfieithodd Iestyn Llwyd y noson honno – fel brawd i mi, y brawd mawr hwnnw na chefais i erioed. Serch hynny, mi gymerodd hi flynyddoedd, yn ogystal â llun a dynnwyd yn ddamweiniol, cyn imi fynd i chwilio amdano. Roeddwn i wedi gwneud addewid iddo, addewid na chadwais oherwydd fy mod i'n trio amddiffyn rhywbeth, rhywbeth na wyddwn ar y pryd ei fod eisoes wedi'i golli. Mae'n debyg, yn ddiweddarach, mai euogrwydd a'm rhwystrodd rhag cyflawni f'addewid; neu'r berthynas agos honno i euogrwydd, cywilydd. Ond y prif reswm, dwi'n credu, oedd ofn. Ofn yr hyn roedd amser wedi'i wneud i ni. Y gwir ydy nad oeddwn i'n awyddus i ddod o hyd i'r hyn oedd yn weddill o Joni, y fersiwn pydredig o rywun nad oedd bellach yn bodoli. Efallai y byddwn i'n gweld adlewyrchiad ohona i fy hun.

Ond newidiodd hynny i gyd efo'r llun.

Paid byth â mynd yn ôl, dyna maen nhw'n ddweud. Ond weithiau mae bywyd yn dy gario di. Mae'r llif yn mynd â ti ac yn d'ollwng o fewn golwg i'r hen olau ar y bryn. Ond y peryg ydy fod y drws dan glo a'r bwthyn yn wag. Yn y cyfamser, roeddwn i wedi gollwng fy mag a chodi addurniadau sefydlogrwydd o 'nghwmpas. Rhoddais lyfrau ar y silffoedd ac ailddysgais hen arferion, a gydag amser, des i gredu fod y bywyd yma'n gweddu i mi. Ond mae'r llif yn dal i dy gario di, gan ddod â lluniau damweiniol efo fo.

Doeddwn i ddim wedi clywed gan neb o hen griw Paris ers blynyddoedd. Ond yna, o nunlle, ges i e-bost gan Stéphane, o Marseille. Sgwennodd gan ddweud bod Loïc, un o selogion y Cactus, wedi marw. Fuodd Stéphane yn ôl i'r angladd. Wedi'i atodi at yr e-bost roedd llun o'r hen selogion yn sefyll o flaen y bar, eu breichiau am ei gilydd, ddiwrnod y cnebrwn. Roedd yn ymddangos yn anghredadwy rywsut y gallai un o'r criw yna, rhywun o'r cyfnod hwnnw, fod wedi marw. Atebais yr e-bost, yn falch o glywed ganddo, er gwaetha'r amgylchiadau. Roedd hi wedi bod yn amser hir. Ac mi roedd hi, oherwydd doeddwn i ddim yn nabod hanner yr wynebau yn y llun. Ond eto, nid fy lle i oedd y Cactus, nid mewn gwirionedd, na Pharis chwaith. Pasio drwodd roeddwn i. Ac roedd y rhain yn nabod ei gilydd ers blynyddoedd, ers i rai ohonyn nhw fod yn ifanc. Ond yn fy mhen roedden ni – roeddwn i – yn dal yn ifanc. Ac efallai ein bod ni. Ond dydy hynny'n golygu dim.

Beth bynnag, ges i'n synnu drannoeth gan e-bost arall gan Stéphane. Oedd, meddai, roedd hi wedi bod yn amser hir. Ac i ble ddiawl est ti, roedd o isio gwybod. Roeddwn i wedi diflannu, meddai, doedd fy rhif ffôn Ffrengig ddim yn gweithio, roedd 'na si ynglŷn â hyn a'r llall, a finnau ddim yn ateb negeseuon e-bost. Ta waeth, meddai, cymera olwg ar hwn. Efo'r e-bost roedd llun arall. Roedd ei chwaer wedi bod ym Mharis efo'i gŵr, meddai, yn cerdded o gwmpas yr ardal ac yn tynnu lluniau: Hôtel de Ville, Archives, République, Oberkampf, Belleville. Ein hardaloedd ni, meddai Stéphane.

Felly cymerais olwg.

Llun gwyliau arferol, o ferch ifanc yn sefyll ar bafin gan wenu ar y camera, golygfa gyffredin o Baris dan awyr wen. Heibio Place de la République? meddyliais, yn edrych i fyny am Belleville? Edrychais ar y ferch – het wlân, sgarff drwchus, gwên gamera – yna edrychais ar y stryd, ar y coed noeth ar ochrau'r ffordd, arwyddion y siopau, y byrddau caffi gyda'r cwsmeriaid yn eu cotiau gaeaf, gweinydd yn rhoi newid i rywun, dyn yn mynd heibio ar feic. Gwenais i mi fy hun. Roeddwn i'n dechrau meddwl be oedd a wnelo'r llun â fi, pan rewais. Codais fy mhen a dal fy ngwynt. Edrychais eto. Pwysais yn ôl yn fy nghadair gan anadlu'n ddwfn. Edrychais unwaith yn rhagor, ond y tro hwn es i heibio'r olygfa gan dreiddio'n ddyfnach iddi. Roedd fel petawn i'n cael fy sugno i'r llun, fel petawn i'n camu i mewn iddo nes fy mod innau'n cerdded ar y Rue de Belleville, fy nwylo'n ddwfn yn fy mhocedi, arogleuon y stryd yn dod ataf ar y gwynt, synau'r traffig a'r dorf yn nofio am fy mhen. Ac wrth imi gerdded, dwi'n stopio. Doedd bosib?

Ar ochr dde'r llun, ymhellach ar hyd y stryd, y tu ôl i'r ferch wenog, roedd bar. Roedd teulu'n eistedd wrth y bwrdd agosaf at y pafin, heb fod yn ymwybodol o'r llun oedd yn cael ei dynnu y foment honno. Ond yn y cysgodion, wrth ddrws y caffi, roedd bwrdd arall, ac wrth y bwrdd roedd dyn. Roedd y dyn yn gwisgo cap du, ac o gysgod y pig, trwy'r locsyn blêr, gwelais wyneb yn edrych allan o'r tywyllwch, ac i lygad byw y camera. Edrychais yn syth i lygaid ysbryd, a gweld Joni Zlatko'n sbio'n ôl.

Meddyliwch am y peth. Dyma Joni, ym Mharis. Ac roedd fel petai'n galw arna i, fel petai'r llun yn neges, neges ddu a gwyn mewn potel, yn cael ei chario ataf dros anialwch y blynyddoedd, dros le ac amser a môr dienw, fel atgof a olchwyd ar draeth ac y gallwch ei godi yn eich llaw, yno, ar lan eich gorffennol eich hun.

Sgwennais yn ôl at Stéphane. Anhygoel, dywedais. Pryd tynnwyd y llun? Oedd o yn dal ym Mharis felly? Ychydig nosweithiau'n ddiweddarach, ges i alwad gan Stéphane. Roedd clywed ei lais fel drysau'n agor. Daeth â chymaint o bethau yn eu holau fel y bu'n rhaid imi eistedd yn hir wedyn mewn tawelwch, gan feddwl am y cyfan oedd yn digwydd. Welai o brin neb y dyddiau hyn, meddai. Tynnwyd y llun ryw flwyddyn ynghynt. Falla fod Joni'n dal o gwmpas.

Ychydig ddyddiau'n ddiweddarach roeddwn i'n cloi drws y fflat y tu ôl i mi, a gyda bag ar fy nghefn, yn anelu at y trên. Yn fy mhen roeddwn i wedi paratoi eglurhad ar gyfer unrhyw un y byddwn i'n ei weld ar y ffordd i'r orsaf: 'Dwi'n mynd i chwilio am hen ffrind,' faswn i'n ei ddweud, 'Fydda i'n ôl mewn pythefnos.' Ond welais i neb.

Edrychodd Iestyn Llwyd ar y sgrin. Yn y stryd, aeth car heibio. Taniodd sigarét, yna cododd ac agor drws y fflat. Camodd allan i'r cefn gan edrych ar amlinell y coed pin yng ngolau'r lloer. Roedd glaw'r prynhawn wedi hel yn y pant ar lawr y to, a llonyddwch y dŵr yn adlewyrchu lleuad oedd bron â bod yn llawn. Rhedai clytiau o gymylau dros y lleuad gan ei chuddio a'i datguddio i lanw a thrai'r gwynt. Cododd

Iestyn Llwyd ei ben i wylio wrth orffen ei sigarét, wedi'i hudo gan lif yr awyr. Yna plygodd, cododd garreg fach a'i thaflu i'r pwll i weld y lleuad wleb yn torri a chrynu. Yna trodd a mynd yn ôl i'r tŷ.

6
Anna

Roedd ar ei ffordd at Sedd y Cawr, ond roedd dau alarch o dan y bont, a gwyliodd Iestyn Llwyd wrth iddyn nhw droi yn y dŵr bas, yn wyn ac yn llachar yn erbyn düwch yr afon. O ben y bont, dilynodd ei lygaid lif y dŵr, ac aeth ei feddyliau efo fo, ymlaen, dan bontydd eraill o bren a charreg ac aur, gan droelli rhwng cromenni a thyrau dinas.

Roedd yn amlwg mai Paris oedd y rheswm y bu i Dyfan Edwards gyfeirio Simon Lewis ato, meddyliodd wrth gerdded ymlaen – meddyliau a fyddai, ar ôl iddo gyrraedd adref, yn dod i orwedd ar dudalennau glân ei lyfr nodiadau. Oherwydd os gwyddai Dyfan unrhyw beth am Iestyn Llwyd gwyddai mai ym Mharis y dysgodd ei Ffrangeg. Ac fel cyfieithydd mi fyddai Dyfan wedi gweld arwyddocâd hynny. Wedi'r cwbl, fedri di ddim cyfieithu Caradog Pritchard heb weld Bethesda. Tria di helpu meddwyn a chdithau erioed wedi cael diod. *Mae o'n swnio'n ddiddorol*, dywedodd Dyfan. Ond sylweddolodd Iestyn Llwyd rŵan mai presenoldeb annelwig oedd Paris iddo bellach. Rhywbeth a berthynai i lyfr a ddarllenwyd flynyddoedd yn ôl, fel breuddwyd roedd rhywun arall wedi'i chael.

Petai'n mynd ati i drio cofio'r dyddiau hynny, meddyliodd Iestyn Llwyd wrth adael y ffordd ac ymuno â'r goedwig, beth fyddai'n ei ddarganfod? Nid Paris, yn sicr, nid fo ar ei strydoedd, yn cerdded ac anadlu a byw, nid y gwir. Fel straeon Marco Polo, meddyliodd. *Il Milione*, 'Y Miliwn', oedd un teitl i'r hanes, oherwydd tueddiad honedig Marco Polo i or-ddweud. Atgoffodd hyn Iestyn Llwyd o sgwrs Simon Lewis ynglŷn â chwedlau, a rŵan, wrth gamu o'r coed gan sylweddoli ei fod wedi cyrraedd ei gyrchfan, trodd ei feddyliau'n anochel at gewri. Roedd y byd yn llawn ohonyn nhw.

Roedd wedi darllen un tro fod yna, y tu draw i Gylch yr Arctig, ar yr ucheldir rhwng Sweden a Norwy, bantiau crwn yn y ddaear. Dyma wlad y Sami, cynefin eu preiddiau nomadaidd o geirw Llychlyn. Ond nid i'r Sami roedd y pantiau yma'n perthyn, ond i bobl eraill. Yr enw cywir ar y pantiau oedd *stole*, ac olion anheddau'r Stolmann ydyn nhw. Mae gan y Sami eu straeon ynglŷn â'r Stolmann, wedi eu hadrodd ar lafar ers amser maith, cyn ffurfio teyrnasoedd Llychlyn. Disgrifir nhw fel dynion mawr eithriadol, yn drwsgl a gwyllt, yn fygythiol a brwydrol yn eu gwisgoedd haearn. Cewri eraill. Neu dim ond pobl sydd, fel eu stori, wedi tyfu gydag amser?

Rŵan, wrth edrych i lawr ar y dref a'r afon ac ar lethrau mwyn y dyffryn yr ochr draw, gwelodd fod y straeon hyn yn adlewyrchiad o chwedlau'n gyffredinol. Oherwydd efallai fod ein straeon i gyd yn tyfu, neu'n crebachu, gydag amser, straeon ein bywydau'n symud rhywfaint, gyda'r ieithoedd, gyda'r rhew. Cwestiwn o safbwynt, o eiriau'r adroddwr. Neu o glust y gwrandäwr, efallai. Mae ein straeon fel tarth, a'r bywydau sy'n eu poblogi, ni'n hunain, yn ddim mwy nag amlinell ar lan bellaf yr afon.

A dyna gawr arall ymysg straeon, meddyliodd: Cantre'r

Gwaelod, Atlantis y Groegiaid, a'r Hebreaid a'u Dilyw. Ond doedd dilyw Noa yn ddim mwy nag ailadrodd hanes Gilgamesh, a hwnnw yn ei dro yn ddim mwy na fersiwn ddiweddarach o stori arall o Fesopotamia, gyda hithau yn sicr yn si, wedi'i ailadrodd a'i gyfieithu dros y canrifoedd, o ddigwyddiad pellach o oes gynharach.

Beth ydy hyn i gyd – gorffennodd y noson honno, y geiriau yn ei ben yn disgyn i'r papur o'i flaen – ond hanes ar ei ffurf fwyaf sylfaenol, sef cof pobl? Nid straeon i ddiddanu a darbwyllo yn unig oedd y rhain, ond cofnod dynol o gof cyntefig. Canlyniad miloedd ar filoedd o flynyddoedd o dystiolaeth o ddynol-ryw, briwsion digwyddiadau a adroddwyd o un genhedlaeth i'r llall dros yr oesoedd, gan wisgo a diosg ffurfiau ac enwau wrth ledaenu a thyfu, fel iorwg, allan ar hyd canghennau iaith gan ymestyn yn ôl at yr ieithoedd cyntaf, yn ôl at y dyrfa yng nghysgod Tŵr Babel. Ac ymhellach na hynny, yn ôl at oes cyn iaith. Rhywle mewn profiadau y tu hwnt i eiriau, pan oedden ni'n dal i amneidio gyda'n dwylo. Ac ymhellach fyth, pan oedden ni'n rhywogaethau eraill, cyn inni ddod i lawr o'r coed, yn ôl at wreiddyn ein bodolaeth. Wrth i'r rhew doddi a'r dyfroedd godi dros wareiddiadau y mae eu henwau wedi hen ddiflannu a harddwch eu dinasoedd y tu hwnt i'n dychymyg, fe adroddwyd y stori, dro ar ôl tro. Ac un diwrnod rhoddwyd popeth ar femrwn, ar furiau temlau, ar feddrodau, ac ar bapur, gan droi synau'r tafod yn ffurfiau, a'u naddu ar garreg fel na fyddwn ni'n anghofio. Mae'r llythrennau'n newid eu ffurf, mae'r synau'n diflannu gan fynd ag ystyr y geiriau efo nhw, ond yr un un ydy hi, wedi'i phlygu a'i lliwio, yr un stori bob tro. Does 'mo'r fath beth â chwedlau, dim ond profiad pobl ar y ddaear. Mae pob stori eisoes wedi digwydd. Gwirionedd angof ydy pob mytholeg.

*   *   *

Er mai Joni Zlatko a ddatgelodd Baris i mi – cyfieithodd – diolch i Anna y des i ar draws Joni, a hap a damwain oedd ei chyfarfod hithau. Peth felly ydy bywyd. Does 'na ddim synnwyr iddo fo. Ac os oes ystyr i'w ddirnad mewn pethau, dim ond wedyn mae o i'w weld. Dim ond o bell, mewn lle yn ogystal ag amser, fel ateb i gwestiwn flynyddoedd yn ôl nad oes neb yn cofio'i ofyn.

Dwi'n meddwl imi fod isio gadael erioed. Pan oeddwn i'n blentyn aeth fy nhaid â fi at y môr i eistedd ar glogwyn ac aros i'r niwl godi er mwyn inni weld America. Wyddwn i ddim mai Iwerddon oedd y tu draw i'r niwl, ond roedd yr hedyn wedi'i blannu a'r Hen Ŵr wedi siarad, wedi amneidio tua'r gorwel a datgelu bodolaeth caeau gleision, yr ynys hir y tu draw i'r dŵr. A dwi'n sicr imi adnabod yr hen ŵr hwnnw yn Joni. Roedden ni'n dau'n ffoi, Joni a fi, yn ein gwahanol ffyrdd ac nid am yr un rheswm. Ond dianc roedden ni, rhag y wlad fechan, rhag yr un gorwelion a'r hen garreg ateb. Beth yn union oeddwn i'n gobeithio'i ganfod, pwy a ŵyr. Ond y cyfan wyddwn i oedd mai rhywbeth arall oedd o, rhywbeth nad oedd i'w gael yn yr amgueddfa honno o gerrig a dŵr y digwyddais gael fy ngeni ynddi. Doedd gan fy nghartref ddim byd i'w gynnig i mi, dim dyfodol, dim byd ond atseiniau. Ac allwn i ddim aros i adael.

Cyrhaeddais Paris am y tro cyntaf yn y gaeaf. Yn dilyn cyfarfod mewn ystafell wydr rhoddwyd goriad i mi a chyfeiriad fflat wedi'i farcio ar fap twristaidd. Dau Fetro, pedair stryd a phum llawr o risiau'n ddiweddarach, ar ôl ymladd gyda bag a chlo tyn, agorais yn llydan yr unig ffenest mewn fflat atig cyn disgyn, yn dal yn fy nghôt, ar y gwely isel. Y noson honno cerddais yn ddi-nod ar hyd y strydoedd nes canfod fy hun ar lan yr afon. O fewn golwg i Notre-Dame yfais gwrw heb yngan gair wrth neb, cyn mynd yn ôl adra i eistedd wrth fy ffenest. Yno, yn y dyddiau a'r wythnosau i ddod, wrth wasgu fy sigaréts i hen flwch roedd rhywun arall wedi'i adael, mi ddes i sylweddoli'n araf mai dyma fy mywyd i, nad oeddwn i'n nabod neb yn y dref ddieithr hon, ac mai dyma, mae'n rhaid, roedd pobl yn ei alw'n rhyddid.

Os oedd ystyr y rhyddid hwnnw'n aneglur i mi y nosweithiau cyntaf hynny, daeth yn fwyfwy felly gyda phasio'r wythnosau. Roedd fy nghyd-weithwyr i gyd yn Barisiaid tymor-hir. Er y croeso, roedd eu bywydau eisoes wedi canfod eu harferion, arferion nad oedden nhw'n caniatáu ar gyfer ymwelwyr nad oedd, mwy na thebyg, ond yn pasio trwodd. Buan iawn y trodd fy rhyddid yn unigrwydd. Cyn bo hir, byddwn yn eistedd yn fy fflat gyda'r nos wrth edrych yn ôl dros y dydd, gan ystyried bod y 'Bonjour' yn y siop fara neu'r 'S'il vous plaît' dros fy nghwrw di-sgwrs yn arwyddion o lwyddiant. Ges i fy nghysuro gan ambell gân, o grwydro'r strydoedd yn ddiddiwedd a di-nod, a chan yr ychydig lyfrau a ddes i efo fi. Roedd hi'n anochel felly imi fynd i feddwl am fy nghartref ac am hen wynebau. Am yr union bethau roeddwn i wedi dianc rhagddyn nhw drwy gydol fy oes.

Ond yna, un prynhawn Gwener, gyda rhywbeth yn y golau'n argoeli'r gwanwyn, newidiodd popeth. Roeddwn i'n mynd i lawr am y Metro pan ges i fy synnu o glywed rhywun yn galw f'enw. Roedd Andrew, un o'r athrawon, wedi fy nilyn o'r ysgol. Roedd 'na barti nos Sadwrn, oeddwn i isio mynd? Yn amlwg, dywedais 'iawn'.

Felly y bu imi ganfod fy hun ar y Rue de Montmorency, yn nhŷ Americanwr chwe throedfedd a mwy gyda gên sgwâr a llygaid gleision a weddai'n well i beithiau America nag i strydoedd Canoloesol Paris. Roedd y lle'n llawn o'i gydwladwyr, yn rhannu newyddion o dros yr Iwerydd yn eu lleisiau uchel ac yn cyfnewid straeon o fariau Americanaidd y ddinas. Roedd yno dramorwyr gwasgar eraill, ond Parisiaid oedd y gweddill. Roedd y rhai olaf hyn yn eistedd o gwmpas y lle mewn cwmwl tragwyddol o fwg a hunansicrwydd, gan siarad yn y ffordd honno sy'n perthyn i drigolion prifddinasoedd, gan godi'u sgwyddau'n ddidaro ar unrhyw sôn am leoedd nad oedden nhw wedi clywed amdanyn nhw o'r blaen, oherwydd dyma Baris, dyma'u dinas, dyma ganol y byd. Ac roedden nhw'n iawn, wrth gwrs. Oherwydd be oedden ni'n da yno fel arall?

Sylweddolais yn fuan mai esgus oeddwn i ar gyfer Andrew, oherwydd aeth ar ei union at Ffrances roedd ganddo'i lygad arni, ac yno fuodd o drwy'r nos. Ar ôl ambell ymdrech ddiffrwyth gan hwn a'r llall i ddechrau sgwrs gyda mi – '*Have you been to Harry's Bar lately?*' a '*Man, don't you just love Provence... and the light there at this time of year!*' ac '*You've got to dig Europe, everything's so old*' – ac ar ôl edrych i wynebau difater y Parisiaid, clywais si fod yna ffenest yn y gegin oedd yn agor ar y to. Llwyddais i ddatod fy hun oddi wrth gyfreithiwr o Lyon gyda'r bwriad o gael smôc dawel cyn sleifio i ffwrdd a chwilio am bobl normal.

Ond yn lle hynny des i o hyd i Anna.

Roedd yn rhaid sefyll ar stôl, dwi'n cofio, wedyn codi pen-glin ar sil fach ac estyn dy ddwylo at y llawr y tu allan, yna cropian allan ar dy bedwar. Pan godais oddi ar fy ngliniau sylweddolais fod merch yn eistedd ar ymyl y to. Roedd ei choesau'n gorwedd dros yr ochr, a'i dwylo ar y sil, ger potel o gwrw. Er gwaetha'r oerni roedd hi'n gwisgo ffrog wen, ac roedd awel ysgafn yn llenwi'r defnydd y mymryn lleiaf, fel petai'n gwneud yn iawn am ddisgyrchiant a'i hatal rhag disgyn i'r stryd bedwar llawr islaw. Mae'n rhaid fy mod i wedi gwneud sŵn wrth sythu, oherwydd trodd a dweud, 'Bonsoir'.

'Bonsoir,' galwais innau, gan gamu'n betrusgar i'w chyfeiriad. Safais yno, hanner metr oddi wrthi hi a'r ymyl.

'Mae'n hyfryd, dydy?' meddai, yn dal yn Ffrangeg, gan groesi'i choesau gyda dihidrwydd a berthynai'n well i rywun oedd yn eistedd ar ymyl pafin. Codais fy mhen gan chwilio'n ofer am seren drwy oleuadau'r ddinas a'r niwl oren. Yna trodd i edrych arna i, gan ychwanegu: 'Mewn ffordd uffernol.'

'Mae rhai pobl yn licio byw mewn bocsys, fel cwningod,' dywedais innau, 'ond dydy hynny ddim yn rheswm i neidio.'

'Ha!' chwarddodd. Ond roedd fy acen wedi fy mradychu. Dyna pryd y sylweddolon ni ein bod ni'n dau o Gymru. A phan ofynnodd i mi o ble, enwais y lle, a phrin fy mod i wedi dweud yr enw a dyma hithau'n dweud, fel tasa hi'n nabod y lle'n iawn:

'O. Gwlad y tylwyth teg.'

Jyst fel'na. *Gwlad y tylwyth teg.*

'Pam ti'n deud hynna?' medda fi.

'Mae pawb yn gwybod hynny. Fanna mae'r tylwyth teg yn byw. Mae o yn y straeon i gyd, 'sti.'

Ac yn yr eiliad honno ges i fy nharo gan deimlad na wnes i erioed lwyddo i gael ymadael â fo: fy mod i wedi'i chyfarfod hi o'r blaen. Yn ddiweddarach es i feddwl mai ein cenedligrwydd cyffredin oedd hynny – mae hiraeth yn awgrymu cyswllt lle nad oes yna 'run – ond roedd yn fwy na hynny. Byddwn i'n dod i wybod wedyn bod eraill wedi profi'r un peth. Fel petai rhywbeth ynglŷn ag Anna oedd yn elfen naturiol o'r byd, fel dŵr. Fel petai hi'n llifo drwy bethau, yn rhan o'u gwead nhw. Ond roedd hynny wedyn, ac felly rŵan gofynnais be oedd hi'n wneud ar y to.

'Pan oeddwn i'n hogan fach,' meddai, 'byddai 'nhad yn mynd â ni allan i'r caeau. Fydda fo'n deud wrthon ni i gyd am fod yn ddistaw, i gau'n llygaid a gwrando. Yna roedden ni'n gorfod deud be oedden ni'n glywed.'

'A be oeddet ti'n glywed?' gofynnais, ar fy nghwrcwd ychydig y tu ôl iddi.

Caeodd ei llygaid a dweud, 'Ci'n cyfarth. Adar yn y cloddiau, sŵn dafad yn rhigo'r gwair. Yna tractor, gaeau i ffwrdd.' Oedodd. Yna meddai, 'Be amdanat ti?'

Caeais innau fy llygaid a chwarae'r gêm. 'Afon fach,' medda fi. 'Y paun o'r plas. A Ffrancwr yn gwichian heibio ar ei sgwter.' Chwarddodd. 'A merch yn chwerthin,' ychwanegais.

'Dydy'r byd yn llawn gwyrthiau.'

'A neb yn cymryd sylw ohonyn nhw,' dywedais.

Ac meddai hithau, 'Llawn duwiau bychain dros y lle, a neb yn eu gweld nhw.'

Wedyn siaradon ni am y ddinas a'r wlad, a des i wybod ei bod hi wedi teithio. Felly gwrandewais, ac wrth wrando gwelais yn ei llais yr haul yn mynd i lawr dros gopaon gwyn ac oren yr Andes, yn pylu dros binwydd gleision Canada, yn suddo i fôr Groegaidd.

'A'r machlud gorau un?' gofynnais.

'Y gorau un? Yn yr haf, o'r Glyderau. Pan mae'r haul yn machlud i'r môr, a rhoi'r Eifl a Phen Llŷn ar dân, ac mae'r golau i gyd yn casglu yn y gorllewin lle mae'r môr ac Iwerddon a phen draw'r byd.'

Yna, yn sydyn, cododd ar ei thraed. 'Mae'n rhaid imi fynd,' meddai. Edrychodd o'i chwmpas, fel petai'n ystyried pa ffordd i adael, yna edrychodd arna i, a dweud, 'Mae 'na gymdeithas yma, 'sti. Mae 'na gyfarfod misol, yn nhŷ un o'r aelodau. Mae 'na un nos Wener nesa, yn lle boi o'r enw Edward Meadham. Ty'd. Dyma'r cyfeiriad.'

Estynnodd becyn sigaréts a rhwygo darn o'r cerdyn. 'Mae pobl yn mynd â gwin neu gaws,' meddai wrth sgwennu'r cyfeiriad arno. 'Tua saith. Cofia ddod.' A throdd am y ffenest. Yna, a hithau ar ei phengliniau a'i choesau wedi diflannu i'r gegin a'i gwallt yn disgyn dros ei hwyneb, galwodd:

'*Ah oui! Comment tu t'appelles?*'

Chwarddais. 'Simon!' gwaeddais.

'*Ciao, Simon!*'

A diflannodd.

Arhosais ar y to am amser, gan wrando ar y traffig a gwylio'r goleuadau, yn ceisio gweld y machlud a'r Glyderau. Yna cofiais am y parti a sylweddoli ei bod hi'n oer.

* * *

71

Roedd y goleuni'n crebachu y tu ôl i'r bryniau wrth i Iestyn Llwyd gerdded ar lan yr afon. Gwyliai ddau fachlud. Roedd un yn yr awyr a'r llall ar y dŵr, gyda'r adar yn nofio rhwng y ddau, ac roedd yn meddwl mor braf fyddai adnabod eu henwau. Nid meddwl digyswllt 'mo hwnnw chwaith. Oherwydd yn ddiweddar roedd meddyliau Iestyn Llwyd wedi'i arwain at rywbeth nad oedd wedi meddwl amdano ers blynyddoedd, sef ei blentyndod. Yr oes honno pan ddysgwn fod pethau yn y byd, a bod rhai yn ymofyn eu henwi.

Ond eto mae'n rhyfeddol, meddyliodd wrth gerdded yn ei flaen, mai oddi wrthon ni y daw enwau pethau'r byd, nid gan y pethau eu hunain. Nes ein bod ni'n eu disgrifio fel y maen nhw'n ymddangos i ni, ac nid fel ag y maen nhw go iawn. Oherwydd 'dan ni'n dal i ddweud bod yr haul yn mynd i lawr. Fel petaen ni ddim wedi clywed gwaedd Giordano Bruno o'r tân, ac yn mynnu gwrthddweud Copernicus, yn dal i gredu mai'r haul sy'n troi, mai ni sydd ar ganol y bydysawd. Mae gwybodaeth wedi symud ymlaen ond dydy iaith ddim. Ar ein tafodau ni, mae'r haul yn parhau i godi, yn ein llygaid yn dal i groesi'r awyr, yn ein pennau yn dod eto ar fryn. Ond 'dan ni i gyd yn gwybod nad ydy'r haul yn mynd i nunlle. Ni ydy'r teithwyr.

Crynodd. Teimlodd y lleithder yn codi o'r lan dan ei draed.

Adlewyrchiad o'r byd ydy iaith – sgwennodd yn ei ddyddiadur newydd, hen, y noson honno – dyna'r cwbl. Ac, fel pob drych, mae'n anffyddlon i'r gwreiddiol. Rhwng y Gair a'r Gwir mae 'na dwll du, a dydy'r cyntaf ddim yn cyfateb i'r ail. Mae ein meddyliau ni'n dal i drigo yn yr ogof, a dim ond fersiwn dila o'r byd y tu allan 'dan ni'n ei gweld. Cysgodion ar y wal, adlewyrchion ar y dŵr.

7

Joni Zlatko

Marco Polo oedd ar y bwrdd o flaen Iestyn Llwyd ond Simon Lewis oedd ar ei feddwl, ac efo fo roedd tri pherson: dwy ferch, un yn y sinema a'r llall ar y to, a chyfaill o'r enw Joni Zlatko. Meddwl am yr enw olaf hwn roedd o pan gyrhaeddodd neges newydd ar y cyfrifiadur.

– Cyfarchion o Québec. Sut wyt ti?

Darllenodd ymholiad Dyfan Edwards ynglŷn â *Marco Polo* heb fawr o sylw, yna, gyda mwy o ddiddordeb, ei sylwadau am y newid tymor a lliwiau'r coed. Aeth gweddill y neges, rhywbeth ynglŷn â dotio at ddarllen *Le Monde* a bwyta *croissants* ar gyfandir America, heibio mewn tarth o gochni a melyn hydrefol.

– Cyma ofal, ac *à bientôt*. Dyfan.

Québec, meddyliodd Iestyn Llwyd. Jacques Cartier a chyfandir cyfan o'i flaen, ffigyrau annelwig brodorion ar lan y Saint-Laurent. Gaspésie.

– Bonjour Dyfan, *comment vas-tu?* Popeth yn iawn yma…

Gwnaeth ambell sylw cyffredinol. Yna, lle byddai fel arfer wedi oedi, cafodd ei hun yn dymuno'n dda iddo, ac yn ei annog i fanteisio ar y wlad anferth o'i gwmpas a'r cyfle wrth ei draed. A synnodd Iestyn Llwyd o ddirnad awydd nad oedd wedi'i deimlo ers blynyddoedd, yr awch am y newydd, am orwel dieithr meddyliau gwahanol.

Yna, heb anfon ei neges, rhoddodd *Marco Polo* o'r neilltu, agorodd amlen Simon Lewis a chyfieithodd:

Ychydig nosweithiau'n ddiweddarach roeddwn i'n cerdded ar lan y Canal St. Martin ar hyd y Quai de Jemmapes. Roedd hi'n dywyll, y gamlas yn llonydd a'i lleithder yn gorlifo i'r stryd. Yn un llaw roedd gen i botel o win, ac yn y llall y darn paced sigaréts efo'r cyfeiriad arno. Croesais y stryd at rif 119 a phwyso'r botwm wrth *Meadham, E.*.

'Noswaith dda,' meddai llais y cymerais ei fod yn perthyn i Meadham, E. ei hun.

'Helô,' atebais.

'*Quatrième étage, porte à gauche.*' A gyda chlic agorodd drws y cyntedd.

Doedd dim lifft, felly dringais i'r pedwerydd llawr nes i mi ddod at ddrws cilagored gyda lleisiau'n dod o'r tu draw iddo. Gwenais yn ansicr ar y bobl yn y cyntedd wrth fynd drwodd i'r ystafell fyw. Roeddwn i wedi rhagweld parti bach, clòs, ond roedd pobl ym mhobman a sylwodd neb arna i'n dod i mewn. Roedd cerddoriaeth yn dod o rywle, ond nid o'r piano mawr a lenwai ran sylweddol o'r ystafell. Doedd dim golwg o Anna. Mentrais i'r gegin a thywallt gwin, gan fynd â fy ngwydr yn ôl i'r ystafell fyw ac at ffenest anferth a edrychai allan dros y gamlas. Dechreuais ddyfalu pa un o'r dynion yn y parti oedd fy ngwestai anhysbys. Cyfyngais y dewis i ddau, sef dyn tal a chadarn mewn trowsus byr a chrys a thei a swp o wallt, a dyn bach crwn oedd yn gwneud ei orau i ddenu dynes at y piano. Roeddwn i'n ystyried nesu at y piano pan deimlais law ar fy mraich a throi i weld Anna.

'Ddest ti o hyd i ni, 'ta,' meddai, gan daro'i gwydr ar f'un i.

Rŵan imi'i gweld hi yng ngolau'r ystafell sylweddolais mor wyn oedd ei chroen ac mor ddu oedd ei gwallt, a gwelais fod lliw ei llygaid rywle rhwng glas a gwyrdd. Roedd Anna'n brydferth, ond nid yn yr ystyr arferol. Roedd ei gwefusau'n llawn, doedd dim minlliw arnyn nhw, dim arlliw o golur yn nunlle, ac roedd byclau gwasgar o'i gwallt yn disgyn dros ei thalcen a'i boch. Yna, wrth iddi edrych arna i, meddyliais am eiliad fod ganddi un llygad oedd fymryn yn segur, prin fod rhywun yn sylwi. Teimlais ryddhad o'i gweld, gan sylweddoli'n sydyn mai'r sgwrs honno ar y to oedd yr unig gyfnewid o bwys imi'i gael gydag unrhyw un ers cyrraedd Paris.

'Ti 'di cyfarfod Edward eto?' gofynnodd.

'Naddo,' atebais.

'Arhosa funud,' meddai, a gwyliais wrth iddi groesi'r ystafell at y dyn efo'r gwallt yn y tei a'r trowsus byr, a'i arwain ataf i.

'Croeso!' meddai'r dyn yn rhadlon, ei law fawr wedi'i hymestyn ataf ymhell cyn iddo fy nghyrraedd. Estynnais f'un innau ato.

'Diolch am y gwahoddiad,' medda fi.

'Hyfryd iawn,' dywedodd, gan ysgwyd fy llaw unwaith eto. Gofynnodd o ble roeddwn i'n dod. Enwais y dref, ac er mawr syndod i mi roedd o'n gyfarwydd â hi. 'Mae'n bleser i gyfarfod pobl sy'n siarad yr iaith,' meddai, gydag acen oedd yn gyfuniad o Ffrangeg a Saesneg. 'Rhaid inni siarad yn bellach – ymhellach? – heno.'

'Wrth gwrs,' medda fi.

Esgusododd ei hun dan wenu, a throis i weld bod Anna wedi diflannu. Felly gwenais yn ddwl ar un neu ddau wrth sipian fy ngwin. Edrychais ar y rhes o silffoedd ar hyd un wal yr ystafell oedd yn sigo dan lyfrau a recordiau feinyl. Yn amlwg, roedd Edward Meadham yn gerddor ac yn dipyn o lenor. Es i am y gegin i chwilota am y caws honedig hwnnw, gan fwmian 'Bonjour' ac 'Esgusodwch fi' bob yn ail, a thywallt mymryn o ba bynnag botel win oedd o fewn cyrraedd. Siaradais gyda dynes a fyddai'n mynd ar wyliau haf i Gymru at nain a thaid ar lan y môr. Adroddodd dyn ei ymdrechion diffrwyth i ddysgu Cymraeg i mi, gan grybwyll ei anallu i gofio geiriau'n gyffredinol, ffaith a brofwyd wrth iddo holi f'enw sawl tro yn ystod ein sgwrs. Gwnes gamgymeriad wrth wenu ar y dyn bach crwn wrth y piano, gan orfod mynnu, er mawr syndod iddo, nad oeddwn i'n gallu canu er gwaetha fy nghenedligrwydd.

Roeddwn i wedi gweld yn gynharach fod balconi oddi ar y ffenest fawr uwchben y gamlas. Doeddwn i ddim wedi smocio eto, felly camais allan gan gau'r drws gwydr y tu ôl i mi. Safais yno, gan amsugno murmur y ddinas, oedd yn gyson a hollbresennol, fel sŵn y môr. Gwyliais y goleuadau a gwrando ar guriad y traffig, ar y synau annelwig a lenwai'r gwagle uwchben y gamlas, ac a godai at fy safle uchel i. 'Dim yn ddrwg,' medda fi wrtha i fy hun, a chodi fy ngwydr at Sacré-Coeur tua'r gogledd, fel goleudy ar fryn. Tarfwyd ar fy synfyfyrio gan sŵn y drws yn agor y tu ôl i mi, gan adael ffurf dyn, ynghyd â synau'r parti, allan o'r fflat. Wrth i sŵn y parti gilio eto daeth y dyn i bwyso ar y canllaw wrth f'ochr gan edrych i gyfeiriad Montmartre.

'C'est pas mauvais, eh?' meddai, gan amneidio at Sacré-Coeur.

'Pas mal,' cytunais.

Trodd i edrych ar y paced yn fy llaw a gofynnodd, '*Tu n'aurais pas une cigarette à m'offrir?*'

Mi oedd gen i, felly cynigiais un iddo. Taniodd hi. Yna, gan newid iaith, gofynnodd,

'Dim Ffrancwr wyt ti, nage?'

'Nage,' medda fi.

'Sut wnest ti lanio yma?' gofynnodd.

'Lle? Paris? Neu'r parti 'ma?'

'Y ddau.'

'Gwahoddiad gan ferch nes i gyfarfod ar ben to.'

Gwenodd. Yna gofynnodd, 'Ydy hi'n ddel, y ferch ar y to?'

'Ydy,' medda fi, gan ddychwelyd y wên.

'Lle da i gwarfod merch,' meddai. 'Ond mae'n bell uffernol i ddisgyn.' Cymerodd lymaid o'i win. 'A Paris?'

Edrychais dros oleuadau'r ddinas o'n blaenau ni.

'Dwn i'm. Falla achos 'mod i wastad wedi meddwl bod bywyd yn digwydd yn rhywle arall,' medda fi.

'Wastad. Ond dydy gwlad yr addewid i un boi ddim mwy na twll tin byd i rywun arall.' Trodd i fy wynebu a gofyn, 'Ers faint wyt ti yma?'

'Tua tri mis.'

Chwarddodd yn sydyn. 'Ac mae gen ti hiraeth yn barod?'

Gan deimlo'r angen i gyfiawnhau rywsut, dywedais, 'Mae'n braf cael rhyw elfen fach o adra.'

'Mae adra'n iawn,' dywedodd, 'cyn belled nad oes rhaid iti fyw yno.' Cododd ei wydr eto ac edrychais arno. Roedd ei lygaid fymryn yn gul dan grych ei dalcen. Gofynnodd, 'Wyt ti'n nabod y criw yma?'

'Dwi'n nabod neb. Heblaw am y ferch 'na, a'r boi yn y shorts, Ian.'

'Edward,' meddai.

'Edward... A ti? Be ddaeth â ti yma?'

'Hen arferiad,' meddai.

Holi ynglŷn â Pharis oeddwn i ond sylweddolais mai at y parti roedd o'n cyfeirio, felly awgrymais, 'Mae'n braf cael siarad yr iaith.'

'Mae'n dibynnu ar be sy gan rywun i'w ddeud,' meddai, gan bwyso ar y canllaw, yn rhannol er mwyn hwylustod ac yn rhannol er mwyn dal ei hun. Roedd o'n chwil, a doeddwn i ddim yn sicr eto ai meddwdod blin oedd arno fo. Yna meddai, 'Ond waeth inni neud y mwya ohoni ddim. Bloedd ola'r Celtiaid ac ati,' a chymerodd lymaid arall o'i win.

'Cenedl heb iaith, ac yn y blaen,' dywedais innau.

Gwenodd yntau. Yna meddai: 'W't ti erioed wedi gwylio rhywbeth yn marw?'

Nac oeddwn, atebais.

'Mae ieithoedd fel unrhyw beth arall. Arwyddion bach dros amser fod yr hen beth wedi torri. Enwau'n newid, enwau pobl, enwau llefydd. Wedyn enwau pethau. Y geiriau ar gyfer pethau'r byd, teclynnau fferm, y misoedd, y ffordd o gyfri'r blynyddoedd. Cyn bo hir dydy enwau coed ddim fel roedden nhw'n arfer bod. A rhywle mewn pentref bach wrth y môr mae 'na hen ddynes un diwrnod yn camu allan o'r bwthyn ac yn galw i'r cae ac i'r stryd,' a lledaenodd ei freichiau fel petai'n siarad â'r gamlas a'r ddinas islaw, 'ond does neb yn ei dallt hi, hen synau sy'n golygu dim byd i neb ond hi.'

'Mae modd cadw'r hen wraig yn fyw am flynyddoedd,' dywedais.

'Wrth gwrs fedri di arafu'r broses. Ond mae hen eiriau'n

mynd fel llestri'r Sul, yn cael eu hestyn o'r cwpwrdd ar achlysur arbennig. Ond geiriau eraill mae pobl yn eu defnyddio weddill yr wythnos. Mae'r iaith yn dal yn fyw, ond iaith arall ydy hi rŵan, yn cael ei siarad gan bobl wahanol. A beth bynnag, mae Iaith – iaith efo 'i' fawr – yn fwy diddorol na hynny.'

'Ydy?'

'Meddylia am rywbeth fel amser. Tasa'r gorffennol yma efo ni rŵan, lle fasat ti'n deud fysa fo?'

Meddyliais am eiliad, yna, yn anochel, codais fy llaw ac amneidio dros f'ysgwydd.

'A'r dyfodol?'

'O 'mlaen i,' medda fi, gan edrych allan oddi ar y balconi.

'Yn union,' meddai Joni. 'Mae 'na ambell eithriad, ond ar y cyfan dim ots o ble wyt ti'n dod na be ydy dy iaith di, mae'r gorffennol wastad y tu ôl i ti. 'Dan ni'n wahanol, ond 'dan ni i gyd yr un fath. 'Dan ni i gyd yn gweld amser fel tasa fo'n bodoli yn y tirlun o'n cwmpas ni. Y dyfodol o'n blaenau ni, y presennol, yma, wrth dy draed di. Tria siarad am amser heb siarad am le, am ofod. Allwn ni ddim meddwl amdano fo mewn unrhyw ffordd arall. System o arwyddion ydy iaith, dyna i gyd, symbolau ar gyfer pethau eraill. Metafforau. Fel damhegion ysgol Sul. 'Dan ni'n deud un peth ond rwbath arall 'dan ni'n feddwl.' Gwasgodd ei sigarét i'r pot blodau wrth ei draed. 'Ond 'dan ni i gyd yn gwbod nad ydy ddoe y tu ôl i ni ddim mwy nag y mae Siôn Corn. Mae'r gwanwyn ar ei ffordd, mae'r gaeaf yn dod, mae'r gwaethaf wedi pasio. Metaffor, pob un ohonyn nhw.' Gwagiodd ei wydr, yna ochneidiodd yn uchel wrth droi ata i. 'Be dwi'n feddwl ydy, dim ond fersiynau dros dro ydy'r ieithoedd 'ma. Ia, bechod i'r rheiny ohonon ni sy'n digwydd bod yno ar y diwedd. Ond mae popeth yn diflannu rywbryd. Ond mae iaith, iaith dynolryw, yn perthyn i ni i gyd. A beth bynnag, os nad oes gynnon ni rywbeth i'w ddeud, oes ots pa iaith 'dan ni'n ei defnyddio? Be ydy diben adnabod y gair os nad wyt ti'n adnabod y gwir?'

'Mae hynna'n swnio fel adnod,' medda fi dan chwerthin.

Chwarddodd yntau, a'r tro hwn trodd yn wên, un gynnes oedd yn dy ddenu di'n nes. Yna sythodd ei hun a dweud, 'Sori. Dwi ddim isio bod yn ddigalon ynglŷn â'r peth.' Estynnodd ei law. 'Joni ydw i,' meddai.

Gafaelais ynddi a dweud f'enw i.

'Os ydy'r ddinas yn mynd yn rhy unig,' meddai, 'galwa heibio'r Cactus. Rue des Archives.'

Yna trodd, yn rhy sydyn, gan orfod dal ei hun ar y wal, cyn agor y drws a chamu'n ôl i mewn.

Arhosais allan yno am ychydig. Gwyliais y goleuadau'n llifo o fryn Montmartre i lawr am y dref, yn cario tua'r de lle byddai'n ildio i'r tywyllwch y tu hwnt i'r ddinas, ym môr agored cefn gwlad. Ac yn sydyn teimlais y synnwyr hwnnw o ryddid unwaith eto. Mae dy ddyfodol di o dy flaen di. Beth sydd gan y ddinas yma i'w gynnig i mi? meddyliais. Beth oedd yn aros amdanaf i lawr yn fanna, yn ei strydoedd a'i sgwariau, yn ei nosweithiau cudd?

Pan es i mewn doedd dim sôn am Joni. Wnes i frechdan i mi fy hun yn y gegin, llyncais gynnwys gwydr arall ac es i chwilio am Anna heb ddod o hyd iddi hithau chwaith. Es i ysgwyd llaw efo Edward. Roedd ei dei wedi'i ddatod rŵan, ei ddwylo'n chwifio dros y lle wrth geisio fy mherswadio i aros i ymuno â chân. Ond roeddwn i wedi cael digon o hiraeth am un noson. Diolchais iddo gan addo galw heibio eto, yna es i lawr y grisiau ac i'r stryd.

Roedd hi'n oer i lawr wrth y gamlas. Ac, wrth ddilyn y lan, meddyliais mai dyma oedd bywyd alltud: gwin a mêl yn nhai dieithriaid, lloches o ganeuon cyfarwydd rywle o'r neilltu uwchben y ddinas cyn crwydro'n ôl i ystafell wag dy fywyd. Cerddais heibio i gyplau ar bontydd a'r digartref yn ymochel mewn drysau, a chlywais ru pell y Metro oddi tanaf. Y ddinas yn llifo o'n hamgylch ni, heb fod yn ymwybodol o'n caneuon a'n hatgofion o gaeau pell. Meddyliais am adref, am y blynyddoedd y tu ôl i mi, ac am Anna. Ac am ba ardal roedd y Cactus ynddi.

Pwysodd Iestyn Llwyd yn ôl yn ei gadair. Trodd at y ffenest uwch ei ben a gweld cymylau uchel yn nofio'n araf yn yr awyr. Gwyliodd nhw am ychydig. Yna trodd yn ôl at y cyfrifiadur.

– *Marco Polo*'n dod yn ei flaen yn iawn – sgwennodd – Hwyl, ac *à bientôt*. Iestyn.

– ON: Diolch am y gwaith newydd, gyda llaw. Roeddet ti'n iawn am y cyfaill Simon Lewis. Mae'n braf cael newid.

8

Y Cactus

Beth yn union – meddyliodd Iestyn Llwyd, cyn iddo roi'r union feddyliau hynny ar bapur – sy'n ein gwthio i gyfleu ein bywydau mewn geiriau? Pam mae rhywun yn dewis gosod anhrefn ei ben mewn rhesi taclus o'i flaen? Er mwyn rhoi trefn ar ei feddyliau yn unig? Neu fel yswiriant yn erbyn angof? Neu tybed ai'r gwir reswm ydy hyn: dim ond o roi enwau i'n syniadau annelwig, o'u bedyddio â geiriau a'u sancteiddio mewn inc, y down nhw'n glir. Oherwydd, yn wahanol i feddyliau, mae gan eiriau ffurf, ffiniau sy'n dynodi dechrau a diwedd, ac amlinell glir sy'n eu hatal rhag chwalu neu ymdoddi fel niwl.

Ond eto – aeth ymlaen – does dim ystyr i unrhyw air ar ei ben ei hun. Mi ddaw rhywbeth i'n meddwl, estynnwn am y gair a fydd yn ei gyfleu orau, fel blwch o seiniau a llythrennau 'dan ni'n ei estyn i eraill, pecyn o ystyron i'w dadbacio'r pen arall. Ond sut mae bod yn siŵr y bydd y sawl a fydd yn agor y blwch yn canfod yr un ystyr ag a roddwyd ynddo? Oherwydd dyma ffawd dynol-ryw, canfod bod y cynnwys, yr ystyr, wedi mynd ar goll neu wedi'i ddifrodi ar y ffordd; agor y blwch i ddarganfod nad oes dim ynddo ond tywod, memrwn pydredig sydd, o'i ddal am eiliad yn y llaw, yn troi'n llwch. Mae ystyr y gair yn y blwch, ond mae'r blwch yn wag. Does dim byd yno ond ysbryd. Bwganod ein meddyliau ein hunain.

* * *

Rhyfedd – cyfieithodd Iestyn Llwyd – ond erbyn deall, doedd Rue des Archives ddim ymhell o lle ro'n i'n byw. Un prynhawn es i am dro ac wrth imi gerdded yn yr heulwen gwelais, yr ochr draw i'r stryd, far bach gyda byrddau y tu allan a bleind gwyrdd drostyn nhw gyda'r geiriau *Le Cactus* arno. Es i mewn a chael coffi wrth y cownter. Daeth cwsmeriaid eraill i mewn a chyfarch y dyn barfog y tu ôl i'r bar, y perchennog, yn amlwg. Gwyliais y stryd, cymerais olwg ar y papur newydd. Yna gorffennais fy nghoffi a mynd.

Y tro nesaf, yn hwyr un prynhawn cynnes o wanwyn, gwelais Joni Zlatko o'r stryd, yn eistedd wrth y ffenestri agored. Roedd o efo rhywun.

'*Bonjour!*' galwodd wrth fy ngweld i.

'*Bonjour,*' dywedais innau.

Cododd i ysgwyd llaw, cyn troi i gyfeiriad y ferch oedd yn eistedd yng ngolau'r haul. Gwenodd hithau, a chodi a rhoi cusan i mi.

'Dach chi'n nabod eich gilydd?' meddai Joni dan chwerthin.

'Helô, Anna.' Troais at Joni. 'Dyma'r ferch ar y to.'

Gwenodd Anna. Eisteddais efo nhw. A chymerodd hi ddim yn hir imi weld fel roedd y ddau'n gweddu. Roedden nhw'n rhannu'r un rhinwedd, rhywbeth yn y wên oedd yn hudo a chynhesu, fel petai hi ar dy gyfer di a neb arall. A gwelais hefyd fy mod i'n iawn: mi oedd gan Anna un llygad – yr un chwith – oedd chydig yn arafach na'r llall. Doedd o ddim yn amlwg, ond, lawer yn ddiweddarach, pan fyddai'n codi'i golwg o'i bwyd, neu o lyfr, i ganfod fy llygaid i, neu wrth iddi wenu yn y ffordd honno oedd ganddi gan wyro'i phen y mymryn lleiaf, byddai'r llygad chwith yn cymryd ennyd ychwanegol i ganfod y nod. Ond roedd hynny'n ddiweddarach, a rŵan cododd Anna gan ddweud bod ganddi apwyntiad. Gwnes i jôc mai dyma'r trydydd gwaith imi'i chyfarfod hi, a'i bod hi'n diflannu bob tro. Chwarddodd hithau a phlygu i gusanu fy moch. Yna cusanodd Joni ar ei geg. Gwylion ni'n dau wrth iddi gerdded heibio'r ffenest gan edrych yn ei hôl arnon ni dan wenu. Gorffennodd Joni ei ddiod. Roedd yn rhaid iddo yntau fynd hefyd.

'Ty'd heibio nos Iau,' meddai wrth godi.

'Iawn,' medda fi.

A rhoddodd ei law ar f'ysgwydd wrth fynd heibio. Wrth y drws oedodd i weiddi '*Merci, Catie!*' ar y ferch y tu ôl i'r bar. Trodd ata i unwaith eto, gwenodd, ac yna cododd fys at ei dalcen a'i fflicio megis arwydd milwrol, ac allan â fo.

Doedd y lle'n ddim mwy nag ystafell fyw, a phan ddaeth y nos Iau honno bu'n rhaid imi wthio drwy'r drws er mwyn camu i mewn i'r lolfa fach yng nghanol y ddinas. Edrychais dros y pennau a thrwy'r edafedd o fwg nes imi weld Joni Zlatko mewn cornel yn siarad yng nghlust rhywun. Ro'n i newydd lwyddo i gael llecyn wrth y cownter pan deimlais law ar f'ysgwydd.

'Pwy ydy hwn 'ta?' meddai llais yn Ffrangeg, a throais i weld Joni y tu ôl i mi. 'A sut mae Paris?' gofynnodd.

'Mawr,' medda fi.

'Dim mor fawr â hynny, yn amlwg,' meddai, dan wenu.

Meddyliais am eiliad ei fod o wedi anghofio inni gyfarfod eto ers y noson honno yn lle Edward Meadham, ond anwybyddais y peth oherwydd roedd o wedi dechrau fy nghyflwyno i'w ffrindiau. Yna edrychodd arna i yn y ffordd honno a fyddai'n dod mor gyfarwydd i mi, fel petai'n siarad efo ti a neb arall, rhyw ddatganiad diffuant o gyfeillgarwch. Flynyddoedd yn ddiweddarach, a minnau ddim mor ifanc, byddwn yn dweud wrtha i fy hun mai dyna'r oll y mae rhywun yn ei ddymuno mewn gwirionedd. Y sicrwydd hwnnw sy'n dod o siarad a theimlo bod rhywun yn gwrando, o weld cydnabyddiaeth yn llygaid y llall, gwên efallai, fel atsain o dy feddwl dy hun i dy ddarbwyllo nad wyt ti ar dy ben dy hun. Fel dwi'n dweud, roedd gan Anna'r un olwg.

Ond y noson honno yn y Cactus doedd Joni ddim yn cofio f'enw i. Felly, efo'i law yn dal ar f'ysgwydd, meddai:

'Atgoffa fi.'

'Simon,' dywedais wrth droi i ysgwyd llaw â dyn tal gyda gwallt du at ei sgwyddau a dyn eithriadol o denau mewn oferôls glas. Roedd y dyn tal yn archebu diodydd, a galwodd Joni am un i mi hefyd. Yna gofynnodd y dyn tenau imi ailddweud fy enw. Sylwais fod gan hwn baent ar un foch. Peintiwr oedd o, waliau yn ogystal â chanfas.

'Ond waliau gan fwyaf,' meddai Yann, gan dderbyn gwydr gan y llall. 'Mae stafelloedd molchi'n talu'n well na lluniau.'

Gyda'r lle mor gyfyng, ges i fy ngwthio at Yann tra aeth Joni i gornel i siarad efo Stéphane gyda'r gwallt hir. Roedd Stéphane yn dod o'r de, meddai Yann, ond o Lydaw roedd o'n dod, felly siaradon ni am yr holl beth yna.

Yn nes ymlaen, ar fy mhen fy hun efo Joni, gofynnais iddo'r cwestiwn na ches i 'mo'r cyfle i'w ofyn yn y parti, sef pam roedd o ym Mharis. A dyna pryd y dywedodd mai ieithydd oedd o. Roedd o'n arfer gweithio mewn prifysgol, meddai, ac ieithoedd diflanedig oedd ei bethau o. Ro'n i rŵan yn deall ei bregeth ar y balconi.

''Dan ni'n gwirioni gymaint efo cadw iaith yn fyw,' meddai, 'fel tasa hi'n ddarn o dir i'w gadw. 'Dan ni ddim yn gweld y darlun mawr o'n cwmpas ni.'

Oherwydd Anna roedd o yn y parti'r noson honno, meddai. Doedd o ddim yn fwriad ganddo chwilio am bethau'r hen wlad. Wedi dianc roedd Joni. Ac i gynnal ei hun roedd yn fodlon gwneud unrhyw beth: shifft mewn bar, rhoi help llaw achlysurol i saer coed, cadw stondin wrth y Seine i artist oedd mewn ysbyty meddwl. 'Dydy Paul ddim yn cofio,' dywedodd wrtha i, 'iddo erioed dynnu 'run llun yn ei fyw.' Weithiau gwnâi fymryn o gyfieithu.

'Dwi'n mwynhau'r cyfieithu,' meddai, 'mewn ffordd ryfedd. Mae o fel...'

'Llnau ffenestri,' medda fi, o nunlle, yn chwil erbyn hyn.

'Ia!' chwarddodd Joni'n gyffrous. 'Yn llnau'r gwydr, fel bod pobl eraill yn medru gweld drwyddo.'

Chwarddais. 'Dy ystol ydy dy ieithoedd di,' medda fi, heb syniad o be ro'n i'n ei ddeud. 'Dy glwt ydy dy grefft di, y ffenest ydy dy dudalen a'r baw ydy'r geiriau.'

'Yn union!' meddai Joni eto.

Daeth cwrw aton ni o rywle.

'*Merci, Manu*,' meddai Joni.

'*De la part de Steph*,' meddai Manu gan amneidio at ben y bar lle roedd Stéphane yn codi gwydr aton ni. Wnaethon ninnau'r un modd.

Oedodd Iestyn Llwyd.

Dyna oedd Simon Lewis wedi siarad amdano: glanhawyr

ffenestri ieithyddol. Cododd Iestyn Llwyd ei olwg nes iddo weld ei adlewyrchiad yn y ffenest uwchben. Ac roedd o wedi cynhyrfu wrth sôn am y peth, meddyliodd. A beth am y salíwt yna? Gwnaeth Simon Lewis yr un arwydd y bore hwnnw wrth y bont, cofiodd. Chwiw ryfedd. Efallai mai perthyn i'r cyfaill Joni Zlatko 'ma oedd hi, meddyliodd.

Roedd fel petai darnau o'r gorffennol, elfennau o sgyrsiau a gafodd Simon Lewis flynyddoedd yn ôl, wedi goroesi rywle yn nyfnderoedd ei gof gan gario'u hystumiau efo nhw. Ystumiau a oedd yn dal yn fyw yn ei ben. Wedi'r cwbl, meddyliodd Iestyn Llwyd, 'dan ni'n amsugno elfennau o'r bobl 'dan ni'n eu hedmygu, 'dan ni'n mabwysiadu eu stumiau, yn aml heb sylweddoli ein bod ni'n gwneud hynny. Mater o'r brawd bach yn dilyn y cyfaill hŷn. Weithiau, dyna'r oll sy'n goroesi ohonon ni, y chwiwiau mae eraill yn eu cofio.

Yna gwnaeth Iestyn Llwyd rywbeth rhyfedd. Edrychodd ar ei adlewyrchiad yn y ffenest uwch ei ben, a saliwtiodd ei hun. Chwarddodd yn uchel. Yna trodd yn ôl at y sgrin.

'Felly dyma ti,' dywedais. 'Yn chwilio am dy Batagonia fach dy hun.'

Gwenodd Joni. 'Dydan ni i gyd? Pawb yn hwylio ar ei Fimosa fach yn ei ben.'

'Fydd y Mimosa yma'n mynd â chdi adra?' gofynnais.

'Elli di gael dy eni mewn unrhyw le. Does dim rhaid iti farw yno hefyd.'

'Mae rhai pobl yn licio milltir sgwâr. Cynefin a ballu.'

Chwarddodd. 'Dydy cynefin ddim ond yn enw arall am arferiad,' meddai. 'Os ti isio bod yn chdi dy hun, rhaid iti gamu o'r cae, allan o'r dyffryn.'

'Fedri di ddim bod yn chdi dy hun yng nghefn gwlad?'
gofynnais.

Pwyntiodd at y stryd. 'Weli di'r stryd yna? Elli di sefyll am oriau ar y gornel 'na a gwneud dim byd ond edrych. Dim ond gwallgofiaid a hen ddynion sy'n gwneud hynny adra. Jest sefyll ar sgwâr tref fach efo dy ddwylo yn dy bocedi a dy ben yn y gwynt. Does 'na'm rheswm iti fod yno, ti ddim yno i gwarfod neb, ti ddim yn aros am fws. Jest sefyll wyt ti a gwylio'r traffig a'r bobl a'r bysys yn mynd heibio, yr heulwen ar dy wyneb, yn codi dy ben a gwenu o weld y gwylanod yn dod o'r môr. Fedri di wneud a bod yn beth bynnag fynni di yn fama. Does dim rhaid iti gyfiawnhau unrhyw beth a does neb yn mynd i ofyn i ti be ti'n wneud. Os oes gas gen ti rygbi neu yfed peintia, neu os ti isio gwisgo sgert neu golur, diawl o ots gan neb. Yn y llanast, yn yr anhrefn allan yn fanna, fedrith pobl wneud yn union fel maen nhw isio.' Cymerodd lymaid o'i gwrw. Yna meddai, 'Mae'r lle 'dan ni'n dod ohono, mae'n blaned arall. Meddylia am Edward. Yn cerdded o gwmpas cefn gwlad Cymru mewn pâr o shorts a chrys a thei. Fasan nhw'n ei dynnu fo'n rhacs.'

'Ffwcio nhw!' medda fi.

Chwarddodd yn uchel.

'Ia, twll eu tinau!' meddai, gan godi ei wydr yn erbyn f'un i.

Yn ddiweddarach y noson honno es i allan am awyr iach. Edrychais heibio'r goleuadau stryd a thalcenni'r adeiladau at yr awyr lle dylai'r sêr fod. Yn eu lle roedd clytiau o gymylau oren disymud uwchben y ddinas. Agorwyd y drws y tu ôl i mi a daeth Stéphane gyda sigarét yn ei geg i sefyll wrth f'ymyl i gau ei gôt. Ddywedodd o ddim byd, dim ond sefyll yno'n gorffen ei smôc, yntau hefyd yn edrych ar yr awyr ac ar y stryd oedd yn wag erbyn hyn. Yna taflodd ben ei sigarét ar lawr a throi ataf gan estyn ei law.

'*Bon, à bientôt,*' meddai, gan ysgwyd fy llaw. 'A paid â chymryd gormod o sylw o dy gydwladwr, mae o'n meddwl gormod am betha.'

Gwyliais wrth iddo ymlwybro i fyny'r stryd. Ac yn sydyn, daeth ton o fodlonrwydd drosta i. Rhyw fath o ryddhad, synnwyr o fod wedi darganfod aelwyd mewn dinas o ddieithriaid, lle roedd rhywun yn adnabod fy enw a diod arall ar y ffordd. A dwi'n cofio imi wenu, ar y tu mewn efallai, ond gwên yr un fath. Mae'n wên dwi'n ei chofio hyd heddiw. Ar y pryd, wrth gwrs, wyddwn i ddim mai gwên a berthynai i ieuenctid oedd hi, gwên a ddeilliai o'r newydd, ac na fyddai byth yn dod yn ei hôl, o leiaf nid efo'r un wefr. Ond dyna'n union pam mae'r pethau yma'n aros efo ni. Yno mae eu prydferthwch, yn eu hunigrwydd, yn y byrhoedledd na allwn ei ddirnad ar y pryd, oherwydd pam ddylen ni? 'Dan ni'n ifanc, ac mae amser yn gae enfawr dan awyr faith. Cyn bo hir byddwn innau'n cusanu'r merched y tu ôl i'r bar ac yn ysgwyd llaw gyda Manu. Ac i Joni Zlatko roedd y diolch am hynny. Neu, mewn gwirionedd, i Anna.

'A be mae Anna'n ddeud?' dywedais, yn ôl wrth y bar, cyn ychwanegu: 'Mae hi'n hyfryd.'

Edrychodd Joni yn syth o'i flaen.

'Yndy,' meddai.

'O'n i'n meddwl mai Ffrances oedd hi pan welais i hi gynta.'

'Hi ydy'r unig gyswllt sydd ar ôl gen i.'

'Hi a'r Gymdeithas,' gwenais.

'Ha!' chwarddodd Joni. Yna, yn fwy difrifol, 'Mae hi isio

imi fynd yn ôl efo hi. Dydy hi ddim 'di deud hynny, ond...'

'Ei di?'

'Na wnaf. Mae hynny wedi gorffen. Adra ydy lle mae dy draed di.' Ac edrychodd i lawr a churo un droed yn erbyn y llawr. 'Yma. Y presennol. Dyna'r lle i fod.'

9

Lleisiau

Gyda'r awydd am ddŵr, neu'r awch am syniadau croyw glân, dilynodd Iestyn Llwyd y nentydd, drwy'r coed ac o'r dyffryn, ac wrth ddringo meddyliodd. Meddyliodd am grwydro, am gartref, ac am lestri'r Sul. Oherwydd roedd y pethau hynny a guddiwyd cyn hired yn nresel y parlwr fel petaen nhw'n cael eu dwyn i'r golau. Yn llythrennol, bron. Nid lleisiau yn unig a godai o ddyfnder cof Iestyn Llwyd bellach, ond gwrthrychau hefyd, gan ganfod adlewyrchiad yn y byd o'i gwmpas.

Cerddodd heibio i adfeilion hen fwyngloddiau, yna oedodd yn y llonyddwch ar lan llyn. Yno, gyferbyn â'r mynyddoedd, taflodd garreg i dorri'r wyneb plwm. Dilynodd gyda'i lygaid y crychau aflonydd, nid at y lan ond y tu hwnt i'r dŵr, at ddyffryn o lechi a chaeau segur yr ochr draw i'r mynyddoedd, nes bod y distawrwydd o'i gwmpas yn diasbedain oddi ar domenni sgri ei orffennol ei hun. Daeth yr atgof o bell, o wlad farw ei blentyndod, ond eto'n galed a gwir, bron y gallai ei gyffwrdd â'i law. Gwelodd wal lechi'n dringo'r allt at gapel, a gwelodd wrth ei draed sgerbwd hen reilffordd y chwarel. Yn ei ben dilynodd Iestyn Llwyd y cledrau at geg twnnel islaw'r capel, ac i'r tywyllwch y tu hwnt. Dyma'r dref lle roedd ei nain a'i daid yn byw. A Nain sydd wrth y drws, yn gref a thal gyda brest lydan a breichiau cryfion, ac mae hi'n gwenu arno wrth iddo ddringo'r allt uwchben y twnnel. Ac wrth iddi ei wasgu'n dynn mae o'n teimlo defnydd garw ei ffrog ar ei wyneb, a'r hen dlws ar ei brest fel tarian o bigau. A dyma fo yn y cyntedd, a dyna'r parlwr gyda'r pâr o gŵn seramig a'r llieiniau o les wedi'i frodio. Heibio i droed y grisiau ac i'r ystafell gefn lle eisteddai ei daid, yn ei dei a'i siwmper wlân. Ac yna'r gegin, gyda'i do o blastig rhychiog, lle byddai Nain yn paratoi te.

Eisteddodd Iestyn Llwyd ar wal gerrig. Ac o gofio hyn i gyd, dilynodd ei lygaid y cen ar y cerrig, fel petai'n chwilio am batrwm. Ond y cyfan a welai rŵan oedd jwg llefrith gyda gorchudd sider a'r peli lliw i gadw'r pryfaid draw. Caeodd ei lygaid gan chwilio am furmur y sgyrsiau yn y gegin fach, a synnodd o ddirnad bod rhywbeth o dôn y lleisiau, rhyw dynerwch a berthynai i'w hacenion, wedi parhau. Clywai sŵn y glaw yn taro ar do'r gegin, curiad cysurus y cloc ar y wal. A hyd yn oed peswch cyson ei daid, a fyddai un dydd yn drech na fo, wrth iddo osod llaw anferth ar ei ben ac agor y drws cefn iddo, y top yn ogystal â'r gwaelod, cyn camu i'r ardd. Awyr las eto'n grwndi o wenyn a haul, a llwybr llechi'n arwain heibio'r cwt coch ac i ben draw'r ardd, filltiroedd a blynyddoedd i ffwrdd, ac at hen ddrws pydredig gyda'i baent gwyrdd yn blisgyn ar y pren.

'Mae'r tylwyth teg yn byw yn fanna,' dywedai ei nain yn anochel.

'Ond ddudsoch chi mai yn y twnnel roedden nhw'n byw.' Oherwydd roedd y twnnel wedi'i wahardd hefyd.

'Ti'n llygad dy le. Ac os ydy plant bach yn mynd i'r ogof mi ân nhw ar goll yno, weli di, a ddown nhw byth yn eu holau.'

'Ydy'r tylwyth teg yn mynd â nhw i ffwrdd?'

'Ydyn, 'ngwas i. Ac yn eu cadw nhw fel un o'u plant bach eu hunain.'

Ceisiodd Iestyn Llwyd, y dyn, ailafael yn sicrwydd yr amser hwnnw. Ymbalfalodd yn ei ben am y pethau cyfarwydd, fel y clwt lliain dros y jwg llefrith, y golau o'r to plastig, llais ei fam, a ffedog ei nain ar ei foch o dan y tlws ar ei brest. A gwyddai rŵan, wrth droi'n ôl am y dref, mai dyma pam y derbyniodd waith Simon Lewis. Roedd rhywbeth yn y geiriau a glywodd y bore hwnnw wrth yr afon yn siarad efo fo, yn ei gario gyda'r llif. Bu'n chwilio'n hir am ddrws, ac roedd angof Simon Lewis wedi'i ddatgelu iddo. Ond un peth ydy dod o hyd i ddrws, peth arall ydy ei agor.

Ddylwn i ganolbwyntio ar *Marco Polo*, dywedodd wrtho'i hun wrth basio Plas Fictoria. A phan gyrhaeddodd adref gweithiodd, nid i Simon Lewis ond i Dyfan. Serch hynny, y noson honno, wrth orwedd yn effro yn ei wely, trio cofio llais ei fam roedd Iestyn Llwyd. P'un ai lwyddodd o neu beidio, diffoddodd y golau a chysgodd yn drwm, gan freuddwydio am nofio mewn llyn, nid o ddŵr ond o lechi.

* * *

Yr haf cyntaf hwnnw – cyfieithodd Iestyn Llwyd y bore wedyn, gan anghofio'i gyngor ei hun – daeth y sgwaryn hwnnw o Baris rhwng Place de la République a'r Hôtel de Ville, gyda'i strydoedd a'i fariau a'i *boulangeries*, yn fyd i mi. Uwch ei ben roedd planedau a sêr, nos a dydd, a thro'r tymhorau'n ymestyn ac yn cilio, oll yn rheoli'r realiti pitw hwnnw a gynrychiolai fy mywyd. Mae'n rhaid bod rhywfaint o'r ysfa a 'ngwthiodd i ddianc rhag fy nghartref wedi'i bodloni yn ystod y cyfnod hwnnw. Yno, wrth fynedfeydd y trenau tanddaearol ac ar gorneli strydoedd gyda'r cyfnos, ochr yn ochr â chyfeillion nad oedden nhw'n bodoli i mi gwta ddeufis ynghynt, teimlais o'r diwedd fy mod wedi dod i lawr o'r bryniau, wedi camu o'r dyffryn cul. A thrwy hyn oll, yr echel roedd fy mywyd yn troi o'i chwmpas oedd Joni; ac efo Joni, Anna.

Fel arfer, dydy digwyddiadau tyngedfennol bywyd ddim yn amlwg ar y pryd. Mae eu hystyron wedi'u cuddio rhagddon ni. Dim ond wedyn, â'n hatgof ohonyn nhw eisoes yn pylu, y daw'r ystyr yn glir, gan ein galluogi i adnabod pryd y daeth rhywbeth i fod, sut y darfu rhywbeth, ble'n union roedd y fforch ar y llwybr. Ond ar y pryd doedd 'na ddim byd. Dim ond bywyd. A faint ohonon ni sy'n sylwi ar hwnnw tra mae o'n digwydd? Felly rŵan, ac amser wedi mynd heibio, gallaf ddweud yn union pryd y daeth Paris yn wir i mi, a hynny un diwrnod pan ddaeth Christophe i'r Cactus gan ddweud bod ei gar yn 'cau cychwyn.

Ro'n i wedi mynd am goffi tra oedd fy nillad yn y londrét, ac wedi darganfod Joni'n darllen papur wrth y bar. Artist oedd Christophe, canfasau nid ystafelloedd molchi, a ffrind i Joni. Roedd ganddo luniau i'w dosbarthu ac roedd o mewn argyfwng, felly arweiniodd Joni a fi at hen Renault oedd yn dolciau a rhwd ar stryd fach gyfagos. Dringodd Christophe y tu ôl i'r llyw a phwysodd Joni a fi yn erbyn y cefn. Gwelais lieiniau'n fudr gyda phaent wedi'u taenu yng nghefn y car, a dechreuon ni wthio. Gwaeddai Christophe ei anogaeth o'i ffenest agored wrth i Joni a minnau fustachu ar y ffordd wastad. Yna gawson ni rywfaint o fynd arni. 'Allez, c'est *bien!'* bloeddiai Christophe. 'Ffycin hel' a *'Putain de merde!'* poerai Joni wrth f'ysgwydd. Ac yna, wrth wthio, cefais fy nharo'n sydyn pa mor gyffredin oedd popeth: yr awyr ddi-liw uwchben, pobl yn cerdded heibio, corn yn canu rywle y tu ôl i ni... ai arnon ni ai peidio, pwy a ŵyr. A dyna pryd stopiais i. Gyda'r car yn dechrau rhedeg, y modur yn tuchan fel petai ar fin cynnau, fy nau ffrind yn rhegi a gweiddi, peidiais. Ac, wrth i Joni a Christophe a'r car ymbellhau, codais, a sythu, ac edrych ar y stryd a'r dydd, a meddwl, 'Dyma fi, dyma fy mywyd i. Yn gwneud rhywbeth diflas di-nod ar brynhawn arferol ar stryd fach yn y dref lle dwi'n byw,' ac edrychais ar yr awyr, a gwenu, a chwerthin yn uchel. Chwerthin oeddwn i pan glywais Joni'n galw, 'Oi! Be ffwc ti'n neud?', a Christophe yn gweiddi, *'Pousse, putain! Gallois de merde!'*, ac yna'r car yn tanio, a chorn yn canu, Joni'n stopio gan bwyso ar ei benigliniau wrth edrych ar Christophe yn codi'i law drwy'r ffenest wrth ddiflannu rownd y gornel, a minnau'n dal i chwerthin wrth daro Joni ar ei ysgwydd ac yntau'n pwyso yn erbyn bin sbwriel i drio cael ei wynt ato. Byddai Christophe yn gwerthu'i luniau y diwrnod hwnnw, ac yn talu am gwrw i Joni a mi, yn y Cactus, wrth gwrs, yng nghanol y byd.

Roedd Joni'n llawn gwrthgyferbyniadau o'r dechrau. Roedd gynno fo ac Anna eu llefydd eu hunain, a mynnai Joni fod yr ardal roedd o'n byw ynddi'n lloches iddo oddi wrth y Marais. Serch hynny, bob tro'r awn i yno, a fues i yno dipyn yn ystod y cyfnod hwnnw, roedd yn amlwg ei fod o'n falch o'r cwmni. Roedd lle Joni oddi ar Rue Oberkampf, mewn adeilad oedd fel ynys ar ganol sgwâr bach. Roedd llawr gwaelod yr adeilad o dan lefel y stryd, fel bod bwlch rhwng y stryd a'r adeilad, fel ffos. 'Castell yn yr awyr' roedd Edward yn ei alw fo, gan ddweud bod gwrachod yn byw yno, yn breuddwydio eu breuddwydion amhosib ym mhen ein cyfaill. Roedd fflat Joni ar y llawr cyntaf, yng nghefn yr adeilad a'r un uchder â'r stryd. Yr haf hwnnw, pan oedd Joni adref byddai'r ffenestri hir ar agor a'r llenni ysgafn yn nofio yn yr awel, ac ar ôl i mi alw o'r stryd byddai'n ymddangos yn y ffenest gan amneidio imi ddod rownd at y drws.

Fydden ni'n mynd allan, neu weithiau dim ond yn aros yn y fflat, gan wrando ar gerddoriaeth, smocio, trafod llyfrau, neu iaith, neu gariad, gyda'r olaf yn rhywbeth nad oeddwn i, yn sicr, yn gwybod y nesa peth i ddim amdano. Roedd llyfrau ganddo dros y lle, ar y silffoedd, ar y bwrdd coffi a'r bwrdd bwyta, yn bentyrrau ar y llawr. Roedd yno gath a fyddai'n dianc o un o'r fflatiau ar y lloriau uwch ar ôl dysgu bod bwyd i'w gael gan Joni. Pan aeth Joni ac Anna i Sbaen yr haf hwnnw, roedd yn rhaid imi fynd yno bob yn ail ddiwrnod i sicrhau fod bwyd i'r beth fach. Pan fyddwn i'n cyrraedd, yno fyddai'r gath, yn aros wrth ddrws Joni. Byddwn i'n edrych drwy ei lyfrau, weithiau'n dewis un ac yn eistedd ar ei soffa i ddarllen. Doedd dim yn y fflat a dystiai i'w gefndir, ar wahân i iaith llyfr neu ddau, ac un cerdyn post ar y radiator o dan un o'r ffenestri. Roeddwn i wedi sylwi arno o'r blaen: llun tref, wedi'i dynnu o'r awyr, yn dangos afon a phont gerrig a choed. Y noson cyn iddo ddod yn ei ôl, codais y cerdyn a'i droi. Roedd y cefn yn wag.

Eisteddodd Iestyn Llwyd am amser gan edrych ar y rhesi o eiriau ar y sgrin, fel ar goed mewn coedwig bell. Yna cododd ar ei draed ac edrych drwy'r ffenest at yr hyn oedd yn weddill o'r dydd. Gwelodd, mae'n siŵr, y glaw yn rhedeg ar hyd y gwydr, disgleirdeb y cerrig yn y wal gyferbyn, llwydni'r cen ar ymylon y mwsog, y caeau'n diflannu i'r niwl ac i'r tywyllwch a dyfai gyda'r prynhawn. Er mwyn troi oddi wrth ei adlewyrchiad ei hun, efallai, eisteddodd unwaith eto a chyfieithu:

Roedd cefn gwag y cerdyn yn y fflat yn adlewyrchu'r hyn a wyddwn i am Joni Zlatko, sef dim byd. Ges i'n synnu un noson felly pan rannodd hanes ei deulu efo mi.

Roedd o'n gweithio ar ei fflat ar y pryd, yn dymchwel pared er mwyn cael mwy o olau i mewn, ac roedd angen help arno fo i gael gwared â'r malurion. Es i efo fo felly ar ôl iddi dywyllu, i'w daflu dros ffens un o'r ceiau llwytho i lawr wrth y Seine. Pan ddaethon ni'n ôl i'r Marais doedd yna nunlle i barcio, felly gadawon ni'r car ychydig ymhellach i ffwrdd, yn yr ardal Iddewig. Roedd o am dalu am swper i ddiolch i mi, felly aethon ni i mewn i le bach ar y Rue des Rosiers. Pan eisteddon ni i fwyta gofynnodd Joni a faswn i'n licio clywed stori.

Iddew, meddai, oedd ei dad, Jakub oedd ei enw, ac roedd o'n dod o Wlad Pwyl. Roedd gan dad Jakub, sef taid Joni, fusnes llwyddiannus yn gwneud ffrogiau, a phan oedd yn blentyn gweithiai Jakub yn y cwmni. Ond doedd gan ei dad fawr o ddiddordeb mewn busnes, meddai Joni, oherwydd un o'r unig straeon yr adroddodd ei dad wrtho ynglŷn â Gwlad Pwyl oedd hanes o'i arddegau cynnar pan ddigwyddodd yr hen ddyn weld Jakub yn eistedd mewn parc pan oedd o i fod yn dosbarthu ffrogiau i gwsmeriaid. Roedd y ffrogiau wrth ei ochr, llyfryn bach du a gariai efo fo i bobman yn ei law, ei bensel yn ei geg a'i wefusau'n mwmian geiriau aneglur wrth iddo guro'i fysedd yn erbyn y fainc, fel petai'n taro cân yn ei ben.

'Be uffarn ti'n neud?' gwaeddodd tad Jakub gan daro'r fainc efo'i ddwrn.

Neidiodd Jakub allan o'i groen a bu bron iddo lyncu'i bensel.

'Sgwennu rhywbeth... cyn imi anghofio,' meddai.

'Sgwennu! Ti i fod i fynd â'r ffrogiau o gwmpas, ti'n cofio hynny dwyt? Sgwennu be?'

'Barddoniaeth,' meddai Jakub mewn llais bach ond cadarn.

'Barddoniaeth! Ti isio bod yn fardd, wyt ti? Yn y wlad yma, dydy Iddewon ddim yn feirdd. Gwerthu dillad fyddi di, a hynny os byddi di'n lwcus, coelia di fi.'

Yn fuan ar ôl hyn ceisiodd y teulu adael y wlad, ond roedd y ffiniau ar gau. Llwyddwyd, serch hynny, i yrru Jakub yn ei flaen. Teithiodd i ddechrau tua'r dwyrain, i Riga. Oddi yno cafodd long i Stockholm, yna trên i Oslo, llong arall i Amsterdam, ac yna ar drên ac ar droed cyrhaeddodd Ostend. Gyda chymorth nyrs o Inverness cafodd long i Loegr, lle derbyniodd ddau lythyr gan ei deulu cyn iddyn nhw ddiflannu oddi ar wyneb y ddaear. Aeth o dŷ i dŷ ac o deulu i deulu, nes i'r rhyfel orffen. Pan oedd yn un ar hugain oed daeth ffawd i'w gyfarfod ar y stryd un prynhawn, ar ffurf dyn tal mewn het. Roedd y ddau ar fin mynd heibio'i gilydd pan oedodd y dyn dieithr, a gorffwys ei law ar fraich Jakub Zlatko. Roedd hi'n ganol gaeaf, a thrwy'r gawod eira sylwodd fod y dyn tal yn llygadu ei gôt. Côt ei dad oedd hi, yr unig beth o eiddo'i rieni iddo'i gario efo fo, a dim ond rŵan roedd o'n dechrau ei llenwi. Estynnodd y cyfaill ei law a byseddu brethyn y llawes, yna edrychodd i lygaid Jakub a dweud:

'Iddew wyt ti?'

'Ia.'

'Iddew?'

'Ia, medda fi.'

Ac mewn Iddeweg gofynnodd y dyn tal, 'O ble?'

'Gwlad Pwyl,' atebodd Jakub.

'Ia, ia, dwi'n gweld hynny, ond o ble? Ble yng Ngwlad Pwyl?'

'Koszalin.'

'Ha!' gwaeddodd y llall. 'Ro'n i'n gwybod! Sut fysa chdi'n hoffi gwerthu sanau?'

Ac felly cafodd Jakub Zlatko ei hun yn teithio ar hyd rheilffyrdd Lloegr gyda'i gês brown yn ei law. Bob tro y byddai'n ei godi ar gownter siop neu ar drothwy tai mewn strydoedd teras o olchi a mwg, byddai'n cofio geiriau ei dad yn y parc ac yn meddwl am eironi'r holl beth. A phob tro y caeai ddrysau'r trên ar ei ôl, wrth i'r chwiban ganu a'r peiriant lusgo o'r gorsafoedd trist, estynnai Jakub Zlatko ei lyfryn bach du ac eistedd yn ôl i sgwennu am y bywyd a'r trefi, am y caeau a'r gerddi twt a lifai heibio i'w ffenest.

O fewn blwyddyn roedd wedi priodi merch i gwsmer yn Lerpwl. Cymro oedd o, ac roedd am fynd adref i agor siop. Aethon nhw i gyd felly, ac yno, i Jakub ac Alwena Zlatko, ganwyd Joni. Un diwrnod daeth Joni o'r ysgol a gweld ei daid yn aros amdano wrth y giât. Byddai Joni'n byw efo nhw o hynny allan, dywedodd ei daid wrtho. Roedd Joni'n ddeuddeg oed. Doedd o ddim yn cofio'n iawn pryd y sylweddolodd fod ei rieni wedi marw, ond yn ddiweddarach dysgodd fod eu car, y bore hwnnw ac yntau yn yr ysgol, wedi troi i osgoi lorri oedd ar ochr anghywir y ffordd, gan daro coeden. Lladdwyd y ddau yn y fan a'r lle. Roedd ym mlwyddyn gyntaf ei gwrs prifysgol pan fu farw ei nain, ei berthynas olaf yn y byd. Penderfynodd bryd hynny na fyddai byth yn mynd yn ôl adref.

Roeddwn i wedi gorffen fy mwyd heb flasu dim ohono a doeddwn i ddim yn gwybod beth i'w ddweud. O weld fy anhawster, dywedodd Joni iddo fod ar ei ben ei hun ers hynny, ac wedi hen arfer bellach. Doedd neb ar ôl o'i deulu. Fuodd o erioed yng Ngwlad Pwyl. Roedd fel petai rhyw ddifa afresymol wedi dilyn ei deulu, gan droi eu byd ben i waered. Efallai mai rhyw angen annelwig am synnwyr a'i gyrrodd at ieithoedd, meddai. Nonsens pur, meddai rŵan dan chwerthin.

A minnau'n ddiniwed, roeddwn i'n dal i gredu bod cefndir a chartref a theulu'n golygu rhywbeth i bawb. Mae'n rhaid dy fod ti wedi cadw rhywbeth o'r holl hanes 'na, mynnais, o'r traddodiadau enfawr 'na.

'Llyfrau nodiadau fy nhad,' meddai. 'Ond mi losgais i nhw. Roedden nhw fel cerrig am fy ngwddw.' Oedodd. 'Ac un peth arall falla,' meddai, gan godi a thaflu'r papur bwyd i'r sbwriel. 'Yr amheuaeth mai nomad ydw i yn y bôn. Mai dyna ydan ni i gyd.'

Ddywedais i ddim byd. Yna ychwanegodd:

'A bod dyn yn cynyddu'i anfodlonrwydd pan mae'n stopio symud.'

Soniodd o byth air am ei deulu eto.

Cododd Iestyn Llwyd ei lygaid o'r papur ac at y ffenest uwch ei ben. Crynodd yn sydyn. Sylweddolodd fod ffenest ar agor yn y gegin a'i bod hi wedi nosi. Argraffodd y tudalennau, estynnodd am amlen, ac arni sgwennodd *SIMON LEWIS* mewn llythrennau bras, a'i gosod ar gornel ei ddesg. Ar ôl ychydig, estynnodd hi eto ac ychwanegu'r geiriau *PERSONOL A CHYFRINACHOL*. Yna agorodd ddrws y fflat a chamu allan.

Dim sôn am seren na lleuad. Awyr ddu a distawrwydd.

Anadlodd Iestyn Llwyd yn ddwfn, ddwywaith, deirgwaith. Roedd ei feddwl ym Mharis, efo Simon Lewis a'i griw, efo'r ferch ar y to. Gwrandawodd. Aeth car heibio ar hyd y stryd yr ochr draw i'r tai. Clywodd ddafad yn brefu yn y pellter. Llif ysgafn yr afon fach, y canghennau uwch ei phen yn siglo a sibrwd yn yr awel. Caeodd ei lygaid. Agorodd nhw'n sydyn. Tylluan. Rhywle yn y coed yr ochr draw i'r afon fawr. Gwenodd Iestyn Llwyd, gwên fach oedd fel petai'n lledaenu, yn treiddio i'r tywyllwch, yn ymestyn heibio'r afon gan ddringo o'r dyffryn, ymhell i rywle arall, heibio coed a dŵr, trwy amser ei hun. Ac ystyriodd: beth yn union sy'n gwneud bywyd rhywun? Beth oedd pwrpas y straeon roedd o'n eu trefnu a'u hailosod yn daclus fel eu bod yn cyfateb i atgof dyn? A be am ei orffennol ei hun?

Ond efallai, wrth droi a mynd yn ôl i mewn, i Iestyn Llwyd ddod i'r casgliad mai dim ond atgofion eraill y gallai rhywun fynd i'r afael â nhw mewn gwirionedd. Bod ein gorffennol ein hunain, fel ein harogl, yn ddieithr i ni.

10

Cerrig

Rhagfyr 18fed – sgwennodd Iestyn Llwyd – Diwrnod o awyr lwyd.

Yn ei *Metamorffosis o'r Enaid a'i Symbolau* mae Carl Gustav Jung yn awgrymu mai ymdrech i efelychu synau natur oedd iaith yn wreiddiol. Yn ôl Jung, roedd iaith ar ei mwyaf cyntefig yn ffordd o gyfleu gwybodaeth sylfaenol megis ofn, perygl, dicter neu dynerwch. Byddai ailgynhyrchu synau natur, felly, fel gwynt, rhew yn hollti, carlam anifeiliaid a fflamau tân wedi bod yn hanfodol ar gyfer goroesiad y llwyth. Mae Jung yn ein hatgoffa fod yr elfen onomatopeaidd hon i'w chlywed o hyd, ac yn bresennol, er enghraifft, mewn geiriau sy'n cyfleu dŵr: yn y Saesneg *rush*, yr Eidaleg *ruscello*, *ruisseau* yn Ffrangeg, a'r Almaeneg *Wasser*.

Gallai hefyd fod wedi cynnwys 'sisial', ychwanegodd Iestyn Llwyd yn ei ddyddiadur, sy'n llenwi rŵan gyda sylwadau o'r fath, gan gynnwys crynodeb o'i ddyddiau, lle fuodd o, beth welodd yno, a oedd glaw ai peidio.

Y bore hwnnw, gyda'r angen am drosolwg, neu efallai am awyr fwy, gadawodd Iestyn Llwyd y tŷ, ac anelodd am y bryniau. Gadawodd ei gar ar ymyl yr hen ffordd Rufeinig, dringodd gamfa a dilynodd y llwybr. Ar ei daith, taith y mae'n ei chofnodi'n ddiweddarach, mae'n meddwl am amser a gofod, a'r hydref sydd o'i gwmpas. Mae'n sicr, meddyliodd, mai o ganlyniad i brofiad corfforol ein rhywogaeth yr ydan ni'n dweud bod 'yr haf o'n blaenau ni' neu fod 'y gaeaf yn dod', yn hytrach nag, er enghraifft, 'mae'r haf uwch ein pennau', neu 'mae'r gaeaf yn grwn'. Anifail unionsyth ydy dynol-ryw, sy'n symud i'r un cyfeiriad ag y mae o'n edrych iddo. 'Dan ni'n lleoli ein dyfodol, felly, o'n blaenau ni, mewn gofod yn ogystal ag amser. Cymerwyd y syniad niwlog o amser, na ellir ei gyffwrdd na'i weld, a'i droi'n ofod – yn rhywbeth real a choncrit, yn dirlun sy'n ein cynnwys, gyda'r presennol dan ein traed. Hoeliwyd delwedd faterol ar syniad annelwig, fel y gallwn ei amgyffred, a'i gyfleu mewn iaith.

Daeth Iestyn Llwyd at faen a safai yng nghanol cae, a rhedodd ei law dros y garreg hynafol. Yna camodd yn ôl i astudio'i hamlinell yn erbyn y mynyddoedd y tu draw iddi. Ymhellach ymlaen dringodd at gaer Oes Haearn a gwrando ar y distawrwydd. A meddyliodd:

Does neb yma ond fi.

Mae'n edrych ar y pantiau, ar olion y ffosydd amddiffynnol, a thros y wlad a'r dyffryn islaw. Ar y naill ochr mae'r mynyddoedd, ac ar y llall, prin y gellir ei ddirnad rhwng pylni'r awyr a chysgod y tir, mae'r môr. Mae'n anadlu'n ddwfn ac yn gwrando. Awel, ambell aderyn, defaid yn rhwygo'r gwair. Ei anadl ei hun.

A dim geiriau.

I fyny yn fama does yna 'run iaith. 'Run dadansoddi, 'run ail-greu mewn metafforau. Mae pethau'n bodoli, a dyna oll. Yr unig eiriau sydd yma ydy'r geiriau a ddes i efo fi yn fy mhen.

Rhywle, mae ci yn cyfarth. Mae Iestyn Llwyd yn troi ac yn gweld y maen hir y cerddodd heibio iddo. Y tu ôl iddo, mewn gofod yn ogystal ag amser. Mae'n meddwl am anifeiliaid a nomadiaid, am bobl hynafol yn cerdded mewn un rhes dros y tir, yn rhoi un troed o flaen y llall, curiad eu camau'n atseinio'u calonnau. O'n blaenau ni, y tir nad ydy'n traed wedi disgyn arno eto, mae'r dyfodol; yn anghyraeddadwy, oherwydd pan gyrhaeddwn ni, nid dyfodol fydd o mwyach. Felly ymlaen â'r mudwr, meddyliodd, gan adael meysydd hela ddoe y tu ôl iddo. Ymlaen. At borfeydd newydd a'r dyfodol glas sy'n disgleirio yn yr haul, rywle dros y bryn, dros y gorwel, yr ochr draw i'r môr, yr ochr draw i ni'n hunain. Ymlaen â ni, drwy ein tirlun llonydd yn yr hanner golau, gam ar ôl cam diddiwedd dros y ddaear, yn aredig amser efo'n traed.

Ond dydy'r metaffor ddim yn gweddu bellach, meddylia Iestyn Llwyd wrth droi ei gefn ar bylni'r môr a dilyn ei gamau ei hun yn ôl at y car. Nid nomadiaid ydan ni mwyach. Mae'r oes euraidd honno wedi mynd, a dim ond mentro'n achlysurol o'r ogof rydan ni rŵan. Yn ôl mae pob llwybr yn arwain bellach, yn ôl i'r gorffennol sy'n ailadrodd ei hun, yn ôl i'r un gweithle, yr un drigfan ddiwedd dydd dan yr un lletem o awyr. Mewn byd cyfan sy'n llawn dyfodol ond neb yn camu i mewn iddo.

* * *

Roedd hi'n bwrw glaw erbyn iddo gyrraedd y dref. Aeth dros y bont yna trodd i'r dde ac i mewn i faes parcio Plas Fictoria. Edrychodd i lawr at y sedd wrth ei ymyl a'r amlen oedd arni, yna dringodd o'r car a phwyso cloch Rhif 7. Trodd handlen y drws. Roedd ar agor. Yn y cyntedd cerddodd heibio i'r blychau post ac yn syth at y drws mewnol. Roedd hwnnw'n dal dan glo. Pwysodd ei wyneb at y gwydr gan graffu i'r cyntedd tywyll. Pan gamodd yn ôl, gwelodd ei fod wedi gadael ôl ei wyneb ar y ffenest. Aeth at flwch postio Simon Lewis a gwthio'i fysedd drwy'r hollt. Doedd dim byd yno, felly estynnodd yr amlen o'i gôt a'i gollwng i'r blwch. Taflodd un olwg arall drwy'r drws mewnol at droed y grisiau, yna cododd goler ei gôt a chamu'n ôl i'r glaw.

Ond pan gyrhaeddodd y tŷ newidiodd popeth.

Cynnodd y cyfrifiadur a gweld bod neges oddi wrth Dyfan. Unwaith eto synnodd mor falch roedd o glywed gan y dyn hwn nad oedd ganddo ddim byd yn gyffredin â fo. Roedd Dyfan wedi bod yn brysur. Yn teithio'n gyson i Montréal. A sut oedd popeth acw?

– ON: Da iawn am y gwaith newydd. Ond pwy ydy Simon Lewis?

Darllenodd Iestyn Llwyd y geiriau olaf am yr eildro. Ar ôl eu darllen eto cododd, gwnaeth goffi, yna eisteddodd yn hir gan syllu ar y neges unwaith yn rhagor. O'r diwedd aeth ati i ateb, neges gyffredinol, fer, gan ychwanegu ôl-nodyn ei hun. Ddywedodd o ddim y byddai rhywun yn cysylltu, dyn oedd am gael cyfieithu ei atgofion ei hun?

Roedd hi'n hwyr pan ddaeth ymateb Dyfan. Ai jôc oedd hynny? holodd. Dynes gysylltodd â fo, rhywbeth ynglŷn â llyfr hanes lleol.

Derbyniodd Iestyn Llwyd y datguddiad yn dawel. Gadawodd i'r wybodaeth fod, i grogi yn awyr yr ystafell. Ond doedd yr wybodaeth ddim yn newid, ddim yn cynnig unrhyw beth ychwanegol. Cerddodd o amgylch y fflat gan astudio'r datblygiad hwn o onglau gwahanol. Ystyriodd godi'r ffôn, ac o'r diwedd gwnaeth hynny, ond rhoddodd y ffôn i lawr cyn deialu rhif Simon Lewis a gwisgo'i gôt yn lle hynny.

Camodd i anialwch y dref gan anelu at y bont a'i goleuadau. Wrth y wal syllodd i lawr i'r dŵr, ei lygaid yn ddall gan y golau llachar. Yna trodd i edrych i fyny ar Blas Fictoria. Roedd golau yn rhai o'r ffenestri, gydag arwyddion o drigo parhaol ynddyn nhw megis planhigyn neu gefn llun, tra oedd eraill yn dywyll. O'r rhai tywyll roedd dwy ffenest hefyd yn noeth, a phenderfynodd Iestyn Llwyd mai un o'r rhain a berthynai i Simon Lewis.

Pwy ydy'r dyn yma, meddyliodd rŵan, gan bwyso ar y wal. A pham ddaeth o ata i?

Ond eto, doedd hi ddim fel petai wedi'i dwyllo. Daeth ato efo cyfieithiad, roedd yntau wedi cytuno i'w wneud, a dyna'i diwedd hi. Fo, Iestyn Llwyd a neb arall, oedd wedi cymryd yn ganiataol mai am Simon Lewis roedd Dyfan wedi sôn y noson honno yn y swyddfa. Cyd-ddigwyddiad oedd yr holl beth, camddealltwriaeth syml. Fel bywyd, meddyliodd. Digon posib fod Simon Lewis wedi clywed amdano, wedi gweld enghraifft o'i waith, yn gwybod am ei Ffrangeg.

Mae'n amhosib dweud a oedd Iestyn Llwyd wedi bwriadu curo ar ddrws Simon Lewis y noson honno. Efallai i awyr y nos ei dawelu, neu i lif anweladwy'r afon y tu ôl iddo esmwytho'i feddyliau, oherwydd yn lle croesi'r ffordd, pwysodd yn erbyn y wal, taniodd sigarét a meddyliodd: Sgwn i sut dirlun sydd i fywyd ac amser Simon Lewis, pan fo'r geiriau wedi cilio a'r llwybr wedi diflannu? Sut dirwedd sydd i amser pob un ohonon ni? Pa mor gul ydy'r cwm, pa mor llonydd, pa mor dywyll? Ac oes 'na, ar wastadedd agored ein meddyliau, fryn uchel y mae'r cyfan i'w weld ohono? A beth sy'n digwydd os camwn ni o'r dyffryn, allan o'n tirwedd a'n hamser, i fyd nad ydy iaith yn ei gyrraedd? Heibio'r gair, at y gwir.

Dyna pryd 'dan ni'n disgyn dros ymyl y dibyn, meddyliodd Iestyn Llwyd, gan droi ei gefn ar yr afon a dringo'n ôl am y dref.

* * *

Yn hwyr y noson honno mae'n deialu rhif Simon Lewis unwaith eto, a'r tro hwn mae'n gadael i'r ffôn ganu nes bod llais yn dweud:

'Helô.'

'Iestyn Llwyd sydd yma.'

'Pwy?'

'Y cyfieithydd.'

'A, dwi'n gweld.'

'Isio'ch holi chi ro'n i.'

'Â chroeso.'

'Pam yn union y daethoch chi ata i?'

' "Ti". Wyt ti'n meindio os ddeudwn ni "ti"?'

'Nacdw, wrth gwrs.'

'Fel y deudis i. Roedd hi'n ymddangos fel y peth naturiol i'w wneud.'

'Pan ofynnais i chi – i ti – wrth y bont, ai drwy Dyfan Edwards yn y cwmni y cest ti afael yndda i...'

'Wyddwn i ddim pwy oedd Dyfan Edwards.'

'Felly, pam fi?'

'Dim ond ti allai helpu.'

'Achos Paris? Achos y Ffrangeg?'

'Hynny hefyd.'

'A be?'

'Ti ydy'r un i wneud synnwyr o'r hanes yma. Fues i'n meddwl yn hir am y peth cyn cysylltu.'

'Ti'n gweld... mae dy orffennol di wedi deffro f'un innau hefyd.'

'Mi wnes i'r dewis cywir felly. A beth bynnag, mae'n gorffennol ni i gyd yr un fath, o dan yr wyneb. 'Dan ni i gyd yn byw'r un dyheadau, yr un ofnau. Dim ond y raddfa sy'n newid, y wedd. Mae gynnon ni i gyd ein gobeithion a'n gwendidau. Ein duwiau dan wahanol enwau. Dyna sy'n ein huno ni. Ac yn ein gwahanu.'

'A gwaith y cyfieithydd ydy uno.'

'Fo ydy'r bont. Y dyn fferi.'

'Wyt ti'n agos at gyrraedd y lan arall?'

'Falla ein bod ni eisoes wedi croesi. Nos da, Joni.'

'Iestyn.'

'Sori?'

'Ddeudist ti Joni. Iestyn ydw i.'

'Mae'n ddrwg gen i. Camgymeriad naturiol.'

Rhoddodd Simon Lewis y ffôn i lawr.

* * *

Un prynhawn mae Iestyn Llwyd yn teimlo'r awydd am gaeau agored, ac yn gyrru i Gapel Garmon. Mae'n camu o'r car ac yn dilyn y lôn fach sy'n croesi'r cae at y gromlech. Mae'n sefyll yn hir wrth y cerrig gan edrych dros ffurf yr olion a'r ffosydd. Efallai iddo ddychmygu strwythur gwreiddiol yr adeiladwaith. Ond mae hefyd yn edrych heibio'r gromlech, dros y dyffryn, dros gwymp a naid y dirwedd, heibio i glytiau'r caeau a'r llethrau lle mae'r glaswellt yn cyfarfod y coed, at y copaon sy'n wyn heddiw yn haul y gaeaf.

Mae amser yn mynd heibio, a byddai unrhyw un a wyliai o bell wedi gweld dyn mewn côt hir yn sefyll mewn cae. Ac efallai petai'r gwyliwr yn ei adnabod, byddai'n dyfalu mai meddwl am y cerrig hynafol o'i flaen roedd o, ei fod yn ystyried mai arwydd o ddiwedd byd oedden nhw, o benderfyniad pobl hynafol i roi heibio fywyd crwydrol eu cyndadau. Mae'n bosib bod Iestyn Llwyd wedi meddwl sut y bu i'r bobl hynny benderfynu aros, gan berchnogi'r tir gyda'u meirw. A byddai'r gwyliwr pell, a safai yng nghysgod y coed gerllaw, efallai, wedi gweld Iestyn Llwyd yn rhedeg llaw dros gen a mwsog y cerrig, fel petai ei law ei hun yn cofio, cyn iddo droi a chroesi'r cae, ei gôt hir yn dilyn yn y gwynt.

11

Gorwelion

Un bore, roedd hi'n ganol Rhagfyr bellach, roedd yn synfyfyrio wrth ffenest y gegin pan sylweddolodd fod rhywbeth yn ei focs post. Yn dal yn ei drôns ac mewn hen siwmper dyllog, camodd allan yn ei sanau a chodi'r caead pren. Ar yr amlen darllenodd, mewn llawysgrifen oedd bellach yn gyfarwydd, y geiriau *Personol a Chyfrinachol*. Gyda'r amlen yn ei law aeth at y giât ac edrych i'r sgwaryn gwag islaw. Yna cofiodd ei fod yn hanner noeth ac aeth yn ôl i mewn. Mae'n rhaid, meddyliodd, ei fod o wedi dod at ffenest y gegin er mwyn gollwng yr amlen. Tybed a ddaeth o tra oedd yntau yn y gegin, a'i gefn at y ffenest? Neu efallai iddo ddod yn y nos. Y naill ffordd neu'r llall, roedd Simon Lewis yn gwybod ble roedd o'n byw.

Eisteddodd Iestyn Llwyd wrth ei ddesg ac agor yr amlen. Yna, am y tro cyntaf, darllenodd ei chynnwys o'r dechrau i'r diwedd. Ceisiodd gofio rhywbeth o ddarn blaenorol, yna, yn dal heb wisgo, dechreuodd gyfieithu:

Erbyn yr ail aeaf ym Mharis roedd gen i o 'nghwmpas y mân addurniadau y mae rhai yn ei alw'n fywyd. Ai dyna'r bywyd roeddwn i wedi'i freuddwydio, allwn i ddim dweud. Ond datgelodd y ddinas fyd newydd i mi, ac er bod rhai lleisiau wedi tewi a'r wynebau bellach yn pylu, mae'n fyd sy'n fyw hyd heddiw, ac sydd ar brydiau yn fy neffro'n annisgwyl o gwsg y dydd.

Mae'n amlwg serch hynny, ac wrth edrych yn ôl, mai f'unigrwydd cynharach i, y diffyg bywyd hwnnw ar y dechrau, a ddenodd Joni Zlatko ata i. Yn y ddinas sy'n llawn unigolion, gwelodd Joni fy sefyllfa a deallodd fy nghyflwr. Mabwysiadodd fi, yn y bôn, oherwydd nad oeddwn i'n llwyr ffitio, oherwydd iddo adnabod y ffoadur ynof i, ac achos fy mod innau, fel fo, yn ddieithr. Cryfder Joni – a'i wendid, fel y byddwn i'n dod i ddeall yn ddiweddarach – oedd bod ei wres yn cyrraedd pawb, yn ein cynnwys ni oll, yn ffrindiau newydd neu hen, heb wahaniaethu nac anffafrio. Roedd Joni Zlatko'n drigolyn y byd, ac iddo fo roedd pawb yn arbennig, ac eto roedd pawb yr un fath.

Ond os oedd y ddau ohonon ni'n ffoi, roedd un peth sylfaenol yn ein gwahanu ni: yn wahanol i Joni, doedd gen i 'run amheuaeth y byddwn i'n mynd adref ryw ddydd. Tra oedd o'n benderfynol o dorri'r llinyn, dim ond wedi'i lacio roeddwn i, wedi plycio arno er mwyn cael crwydro ychydig bach cyn i'r dynfa anochel fy nenu'n ôl.

Y flwyddyn honno gwelais aeaf Paris yn dod o bell, a hynny gyda sicrwydd y trigolyn sydd eisoes yn adnabod y tymhorau, eu heffaith ar yr awyr ac ar liwiau'r dydd. Ciliodd heulwen y prynhawn o f'ystafell a suddo rywle y tu ôl i adeilad yr Archifdy gyferbyn, ac un dydd ddaeth hi ddim yn ei hôl. Yn ei lle daeth awyr lom yr hydref gyda'i gwaddod o ddail, gan droi parciau'r ddinas yn erddi noeth o gerfluniau llwydion o'r un lliw â'r awyr. Roedd fel petai nenfwd wedi'i chau, ac awyr drymach wedi dod i orwedd dros y ddinas fel na allai unrhyw beth adael na dim ddod i mewn, fel gwarchae tymhorol. Wrth groesi'r parc yn y boreau byddwn yn cerdded heibio'r Tsieineaid yn gwneud eu Tai Chi ar lwyfan y bandiau, eu hamlinellau aneglur yn disgyn a chodi drwy'r distawrwydd a'r tarth. Codai'r lleithder o afon Seine, ac wrth droi cornel stryd deuai gwynt rhynllyd i'n hatgoffa ein bod ni'n byw ar gyfandir maith oedd yn ymestyn dros gorff Ewrop a thu hwnt, at Berlin a pheithiau Rwsia. Petai Napoleon erioed wedi gorfod dal y Metro olaf ar nos Sadwrn o Ragfyr a brwydro â bysedd rhewllyd efo'i *kebab grec-frites* wrth dalcen yr Hôtel de Ville, meddyliais un noson, mi fyddai wedi meddwl ddwywaith cyn martsio ar Rwsia.

Yn y de y byddai Stéphane yn treulio'i Nadolig. A phan aeth i lawr y flwyddyn honno aeth Joni efo fo. 'Fydda i'n ôl Noswyl Dolig,' meddai Joni, a ninnau wedi trefnu i gael cinio Nadolig yn lle Edward. A minnau angen y pres a Joni isio'r amser, pasiodd waith cyfieithu i mi, felly arhosais ym Mharis gan addo i Stéphane y byddwn i'n dod yn yr haf yn lle hynny. Un noson cyn iddo fynd ges i ddiod efo Joni yn y Cactus. Gyda Yann yn mynd i Lydaw, Christophe yn y wlad yn darlunio, a'r selogion amrywiol eraill wedi gadael y ddinas am y gwyliau, ro'n i'n meddwl beth i'w wneud efo fi fy hun.

'Bydd Anna o gwmpas,' meddai Joni. Ac estynnodd am un o'r cardiau busnes bach oedd ar y cownter. Daeth â beiro o'i boced, trodd y cerdyn fel bod y cactws ar yr wyneb sinc, ac ar y cefn sgwennodd rif ffôn Anna yn Rue Mandar. 'Rho ganiad iddi.'

Efallai y dylwn i fod wedi dweud diolch, a'i gymryd, ond wrth gwrs ro'n i'n gwybod y rhif yn barod felly dyma fi'n dweud, 'Mae o gen i.'

'O, grêt,' meddai Joni. Ond sylwais iddo roi'r cerdyn yn ei waled, gan feddwl bod hynny'n beth rhyfedd i'w wneud. Fel petai'n gwneud nodyn o rywbeth.

Ond doedd dim angen imi ffonio Anna yn y diwedd. Ro'n i'n gwneud rhywfaint o'r cyfieithu yn y Cactus, er mwyn y cwmni yn bennaf, ac yno ro'n i un bore pan ddaeth hi i mewn i gael brecwast. Eisteddodd wrth fy mwrdd, sgwrsion ni, gan wneud sylwadau ynglŷn â'r cwsmeriaid – dynes fawr ar ei thrydydd *pain au chocolat*, y canwr yn mwmian caneuon dros ei goffi, y dyn yn yfed ei Calvados wrth ddewis ceffylau – a chwerthin heb boeni bod neb yn ein deall ni, oherwydd roedden ni'n siarad gyda thafodau cyfrin. Yna estynnodd lyfr ac es innau ymlaen efo 'ngwaith. Roedd Anna'n mynd adref dros y Nadolig, felly y noson honno penderfynon ni fynd am ddiod i ddathlu'r byrddydd.

Arhosais amdani wrth orsaf Château Rouge, a phan gyrhaeddodd, yn hwyr, aethon ni i Chez George. Yno, yn yr ogof llawn mwg i lawr y grisiau, dywedodd Anna ei bod hi'n ystyried mynd yn ôl i Gymru.

'Dros y Nadolig?'

'Nage,' meddai. 'I fyw.'

'Pryd?' gofynnais, yn rhy sydyn. Yna, 'Be am Joni?'

Rhoddodd Anna chwarddiad bach. Roeddwn i'n gwybod bod Anna'n treulio mwy a mwy o amser yn Rue Mandar, ond gan nad oedd neb wedi sôn am y peth wrtha i wnes innau ddim holi.

'Nofio mae Joni,' dywedodd Anna o'r diwedd. 'Ti'n edrych arno fo ac yn gweld rhywun annibynnol a di-hid. Ond di-sail ydy o mewn gwirionedd. Digartref, diwreiddyn. Mae o'n chwilio am rywbeth cadarn i afael ynddo fo, rhyw ystyr.

Ac mae popeth arall yn eilradd iddo fo. A nes iddo fo'i ffeindio fo, dal i symud o gwmpas fydd o, o dref i dref ac o far i far, yn ffrindiau efo pawb ar wahân iddo fo'i hun.'

Yn fy niniweidrwydd doeddwn i erioed wedi ystyried y gallai Joni fod yn anhapus. Roeddwn i wedi gadael adref efo'r syniad annelwig o ganfod rhyw wirionedd, rhyw berlen, a sylweddolais yn sydyn fy mod i wedi dod i feddwl am Joni fel y dyn o'r coed oedd yn adnabod y gwir, y brawd hŷn hwnnw a fyddai'n arwain y ffordd. Ond roedd yntau'n chwilio am y berlen hefyd, felly?

'Ond mae symud yn naturiol,' medda fi. 'Y reddf i newid gorwelion.'

'Yn sicr,' meddai Anna. 'Ond gall symud droi'n arferiad, yn union fel aros yn dy unfan. Ond os gofynni di i mi, gêm i ffyliaid ydy'r teithio 'ma, y newid dinas a gwlad 'ma'n ddi-baid. Yn ein pennau mae'n gorwelion ni. Mae'r person doeth yn gwybod hynny, dydy o ddim angen mynd i unrhyw le.'

Daeth cwpl i eistedd wrth y bwrdd nesaf aton ni. Roedden ni benelin wrth benelin, a bu'n rhaid imi wyro fy mhen wrth i'r dyn dynnu'i gôt. Taniodd Anna sigarét arall. Edrychodd arna i. Roedd y cwpl wrth ein hymyl yn chwerthin, gan bwyso dros y bwrdd a chusanu. Edrychais ar Anna, a dweud:

'Ond os wyt ti'n dod i'r byd mewn lle penodol, efo'i bobl a'i berthnasau a'r pethau cyfarwydd – cloc yr eglwys, deuda, galwad y paun o'r plas, yr afon fach wrth y tŷ – sut elli di fodloni ar hynny? Sut elli di ddim meddwl am yr holl lefydd eraill?'

Gwenodd Anna. 'Ti 'di bod yn siarad gormod efo Joni.

Mae llefydd fel cariadon. Ti wastad yn meddwl mai'r nesa ydy'r un i ti. Croesi un cae i weld cae glas arall, yna'r cae nesaf, a'r un ar ôl hwnnw hefyd. Tan iti ddallt bod y byd yn llawn caeau, a ddei di byth i ben.'

Ro'n i am ddweud nad oedd hyn yn ddim mwy na'r reddf hynafol o sefyll ar lan afon gan ystyried yr ochr bellaf. Awch yn deillio o oes cyn codi waliau. Ond ro'n i'n gwybod mai geiriau Joni Zlatko oedd y rheiny, ac y byddai Anna'n gwybod hynny hefyd. Codais fy mhen a gweld ei bod hi'n gwenu, fel petai'n darllen fy meddwl. Yna gwyrodd ei golwg at ei gwydr gwag.

'A be am deithio?' gofynnais. 'Ymestyn d'orwelion ac ati.'

'Efallai,' meddai Anna. 'Ond mae teithio hefyd yn cadarnhau d'amheuon di. Bod pobl 'run fath ym mhobman.'

'Yn ôl Stéphane mae Joni'n meddwl gormod am bethau,' medda fi. 'Yn ôl Stéphane, gwin a heulwen ydy'r ateb i broblemau'r byd.'

'Mae Stéphane yn meddwl tipyn hefyd, paid ti â phoeni. A beth bynnag,' meddai, 'pan fyddwn ni i gyd yn dinistrio'n hunain yn y diwedd, oherwydd ein bod ni wedi meddwl gormod fydd hynny, 'ta dim digon?'

Trodd y gwydr mewn cylchoedd dros y pren, a phan gododd ei phen cymerodd hanner eiliad i'w llygad chwith ddilyn yr un dde. Gwenodd, ac es i nôl mwy o win. Ond wrth inni sgwrsio ac yfed doedd Joni byth ymhell i ffwrdd. Soniais am ei farn fod y wlad yn rhy fach. Chwarddodd Anna eto.

'Be?' gofynnais. 'Ti'n deud mai dyn y wlad ydy o go iawn?'

'O na, boi y ddinas ydy o, does dim amheuaeth am

hynny. Ond y syniad 'ma sydd gynno fo am y wlad, bod rhywun yn fwy rhydd yn y ddinas, yn gallu bod yn nhw'u hunain yno. Dydy'r ddinas a'r wlad ddim mor ddu a gwyn.'

'Mae tref fach yn fwy confensiynol,' cynigiais.

'Ydy hi?' meddai Anna. 'Falla. Ond does dim byd chwyldroadol am bobl y ddinas. Oes, mae 'na bobl o bob lliw, mae 'na bobl ddigartref a rhai ariannog, rhai dosbarth canol canol-y-ffordd, pobl wallgo ac artistiaid a beirdd, mae 'na bob math i agor dy lygaid i weld aur a baw y byd. Ond be maen nhw'n wneud? Mae'r artistiaid yn heidio at ei gilydd, a phobl fawr Place Vendômes yn aros yn eu hardaloedd glân a'u bwytai crand. Yr holl bobl gyffredin 'na sy'n gwneud jobsys cachu er mwyn talu rhent am fflat bitw a mynd allan unwaith y mis: efo pwy maen nhw'n mynd allan ond pobl yn union fatha nhw, efo'r un bywyd, yr un diddordebau, yr un farn ynglŷn â'r byd. Pawb â'i ardal a'i fariau a phawb arall yr un fath. Adar o'r unlliw ydy hi yn y diwedd. Ond mewn tref fach rhaid i chdi rwbio'n erbyn pobl wahanol. Ti'n sefyll ysgwydd wrth ysgwydd efo nhw yn y dafarn, efo coc oen adain-dde, efo honno sydd off-ei-phen ar gyffuriau, efo tlodion a lladron a phobl fusnes.' Oedodd am eiliad. Ac yn yr eiliad honno gwelais yr un olwg yn llygaid Anna ag yr oeddwn wedi'i gweld yn llygaid Joni. Yr un dwyster, yr un angerdd. Ond nid yr un boen, sylwais rŵan. A meddyliais am y tro cyntaf, ond nid yr olaf, mai Anna oedd y meistr doeth o'r coed wedi'r cwbl, ac mai yn rhywle ganddi hi roedd y berlen. Aeth ymlaen: 'Wrth gwrs, os ti isio bod yn wahanol, bod yn chdi dy hun a chamu allan o'r confensiwn, mae'n haws yn y ddinas achos fedri di guddio. Cuddio yn y dorf fel bod neb yn sylwi. Ond does 'na ddim byd dewr am y peth. Mae gen ti dri dewis yn y wlad. Elli di wadu dy hun a dilyn y drefn. Elli di adael a symud i rywle fydd neb yn dy nabod di nac yn cymryd sylw ohonat ti. Neu elli di aros, a deud, "Ffwcio hyn, twll eich tinau chi i gyd, fel'ma ydw i a diawl o ots gen i. Dyma'r Fi go iawn, a gewch chi neud fel fynnoch chi." Yn y wlad, mewn cymuned fach, y mae rhywun wirioneddol yn fo'i hun. Achos nid cuddio wyt ti yno. Nid ymuno efo grŵp a llithro'n anhysbys i mewn efo pobl eraill sy'n union fel ti. Mae'n hawdd rhoi pluen borffor yn dy het ym Mharis ac ista am oriau ar ganol sgwâr yn gwylio'r cymylau, achos mae'r ddinas yn llawn pobl o'u coeau y mae'n well gynnyn nhw'r awyr na'r ddaear. Ond gwna hynny yn y wlad, lle bydd pawb yn chwerthin a sôn amdanat ti, dyna geilliau go iawn.'

'A be am y rhai sydd gynnyn nhw 'mo'r ceilliau?' gofynnais.

'Wel, maen nhw'n gadael. Neu'n anobeithio, neu'n cydymffurfio.' Gwenodd Anna. 'Neu'n aros yn effro yn y nos yn sgwennu dyddiadur.'

Roedd y gwynt yn brathu pan aethon ni i'r stryd. Teimlai'n oerach fyth pan sylweddolon ni fod y Metro olaf wedi mynd. Cododd Anna ei sgarff dros ei thrwyn a thynnu ei het wlân yn dynn dros ei chlustiau fel nad oedd dim i'w weld ond ei llygaid. Roedd ganddi ffrind oedd yn byw ym Montmartre, meddai. Ond pan aethon ni at y drws doedd dim ateb.

'Awn ni i'r Petit Gavroche, falla 'i bod hi'n fanno,' meddai.

Yn y Petit Gavroche roedd y gweinyddion yn nabod Anna ond doedden nhw ddim wedi gweld Penny. Felly eisteddon ni wrth y ffenest a gwylio'r shifft nos yn mynd heibio, y bobl wasgar yn chwilio am eu perlen fudr eu hunain, oll yn meddiannu eu corneli o'r strydoedd a'r caffis nad oedd byth yn cau. Wrth i'n gwin droi'n goffi ac yna'n frandi, ildiodd ysgafnrwydd yr alcohol i gysur blinder, nes bod y seddi meddal yn ein cynnal, y bwrdd yn grud i'n penelinau, a'r gerddoriaeth bop a fyddai fel arall yn fwrn, rŵan yn gweddu rywsut, yn llifo droston ni fel roedden ninnau'n llifo dros y noson, wedi'n dal ar wyneb amser a chael ein cario'n ysgafn gan y llif.

Edrychon ni'n dau tua'r stryd wag, heibio'n hadlewyrchion, ac allan, i rywle arall. Ar ôl ychydig troais yn ôl at Anna a dweud:

'Dwi erioed wedi gweld y wawr o Sacré-Coeur.'

'Na finna,' gwenodd.

'Awn ni?'

'Be am gael brecwast gynta?'

Felly gawson ni frecwast yn y bar, a phan gamon ni allan i'r bore roedd yr awgrym cyntaf o olau y tu draw i dalcenni'r stryd. Dydw i ddim yn cofio pa ffordd aethon ni i fyny yno, a dydw i ddim yn cofio'r grisiau chwaith, dim ond canfod ein hunain yn sydyn ar agoriad llydan y sgwâr wnaethon ni, gyda gwynder carreg yr eglwys uwch ein pennau a'r awyr agored yn crogi dros fôr eang y ddinas oedd â'i lanternau'n siglo cyn y wawr. Eisteddon ni ar y grisiau, ar ben ein hunain ar wahân i ddau ddyn lludw'n sgubo'r llawr y tu ôl i ni, heb deimlo'r oerni, ysgwydd wrth ysgwydd, ac edrych. Yn dal yn ddigon ifanc i synnu at wawriau newydd, edrychon ni i lawr ar y bore arbennig hwn, a gweld y nos yn esgor ar ddydd. Yn araf, ildiodd y tywyllwch, pylodd y goleuadau stryd, a daeth llaw haul anweladwy i gynnau pwyntiau gwasgar dros y ddinas. Yn raddol roedd y trigolion yn gadael y myrdd o ystafelloedd, fel gwenyn o gwch, a'r traffig yn dechrau llifo, fel gwaed, i'r gwythiennau cul islaw. Wrth i'r awyr ysgafnhau daeth ffurfiau'r bore'n fwyfwy clir gan galedu amlinellau ac ymylon y gwrthrychau o'n hamgylch, ac amlygu'r waliau, y grisiau cerrig a'r ffigyrau bach ar y stryd.

Caeais fy llygaid a gwrando ar furmur cynyddol y dref, oedd wedi bod yno drwy'r adeg.

'Rhywun yn sgubo'r llawr,' dywedais, gan glywed Anna'n chwerthin yn dawel wrth f'ymyl, 'ac adar yn galw yn y coed.' Ond pan agorais fy llygaid gwelais nad oedd Anna'n gwenu mwyach. Crynodd yn sydyn. Estynnais ddwy sigarét a'u tanio. Yng ngolau llwyd y wawr chwalwyd y mwg gan yr awel oedd yn brathu am ein gwarrau.

'*On y va?*' gofynnodd Anna, gyda'r olwg ddiniwed oedd ganddi bob tro y byddai'n siarad Ffrangeg efo ni.

'*Oui,*' atebais yn ôl, gan godi'n araf wrth droi i edrych i fyny ar yr eglwys. Gyda'r dihidrwydd a ddaw o noson ddi-gwsg, disgynnon ni'r grisiau i lawr am y stryd. Roedd y Metro'n rhedeg erbyn hyn, felly penderfynais ddilyn Anna a cherdded o'i lle hi. Daethon ni allan yn Sentier. Roedd Rue Montorgueil eisoes yn fwrlwm o stondinau, ac ar gornel Rue Mandar dywedais, 'Un coffi olaf?'

'Na,' meddai, 'well imi gysgu.'

Wrth ei drws, amneidiodd at ffenestri'r llawr cyntaf gyda'u bleinds caeedig.

'Fanna dwi,' meddai.

Roedd y stryd yn dawel. Yn sydyn, meddyliais faint o amser roedd Joni Zlatko wedi'i dreulio i fyny yn y ffenest honno, yn gwylio'r byd yn mynd heibio. Ac am y tro cyntaf teimlais yn ddig tuag ato fo.

'Diolch am noson hyfryd,' meddai Anna.

'Fydd popeth yn iawn, 'sti,' dywedais, gan estyn fy llaw i gyffwrdd â'i braich.

Yna rhoddodd ei llaw hithau ar fy llaw i, a'i gwasgu, a gwenodd. Ond diflannodd y wên yn sydyn, a chrychodd ei thalcen. Yna, yn ddirybudd, camodd ymlaen a chodi ei cheg at fy ngheg i. Rhoddodd ei llaw arall ar fy mrest, ac wrth imi'i chusanu'n ôl edrychais ar ei llygaid, oedd ar gau, a gweld y croen gwyn ar ei thalcen a'i gwallt du'n disgyn dros ei boch, gan deimlo'i gwefusau ac arogli ei harogl oedd yn ogleuo o'r nos, a gwres, a chysur. Ac wrth imi bwyso ar ei chefn a'i thynnu'n nes, agorodd ei llygaid, ac oedodd. A chyn imi sylweddoli, roedd y cyfan wedi gorffen.

'Bydd,' meddai, wrth wasgu fy llaw unwaith eto a chamu'n ôl. '*Bon Noël!*' gwenodd cyn agor y drws. A heb droi'n ôl diflannodd drwyddo.

Yn groes i reswm arhosais am foment o flaen rhif 25 gyda fy llygaid ar y ffenestri uwchben, ond arhosodd y bleinds ar gau. Yna troais yn ôl am Rue Montorgueil, heibio i'r llwytho a'r dadlwytho, y galw a'r symud, y cawsiau a'r gwinoedd a'r llysiau, a'r arogl coffi yn y bore bach. A phenderfynais gerdded, i osgoi'r Metro, y tanddaear, a'i dorfeydd o gymudwyr ar eu ffordd i'w gwaith.

* * *

Ddiwedd y prynhawn hwnnw aeth Iestyn Llwyd i'r llyfrgell. Yno, o dan y golau trydan llachar, daeth o hyd i lyfr teithio ar gyfer Paris, a gyhoeddwyd yn 2001. Chwiliodd yn ofer am *Death in Venice*, cyn dewis llyfr arall na fyddai byth yn ei ddarllen, sef *Wildlife of a Wild Country (A guide to the plants and birds of Wales)*. Yna aeth adref ac eistedd eto wrth ei ddesg. Roedd y goleuadau eisoes ymlaen yn y siopau – sgwennodd y noson honno – ond er mwyn denu pwy, dwi ddim yn gwybod, oherwydd roedd y strydoedd yn wag. Neu efallai fod 'na bobl o gwmpas, dim ond fy mod i heb eu gweld nhw. Fi oedd yn cerdded yn blyg efallai, gan synhwyro dim ond y cyfnos yn cau amdanaf, yn cau am y dref ac am y dyffryn i gyd. Oherwydd gallai byddin o fwganod fod wedi cerdded drwy'r dref y prynhawn 'ma, a fyddai neb ddim callach. Ac efallai fod 'na. Lleng o ysbrydion wedi cerdded reit heibio i mi ar y ffordd.

Efallai fy mod i'n un ohonyn nhw.

12
Paris

Hyd yma, dydy Paris yn ddim mwy na chefndir i Iestyn Llwyd, llwyfan o strydoedd ac awyr undonog y mae pobl yn symud a siarad arno, oherwydd mae'n rhaid i bopeth ddigwydd yn rhywle. Prin roedd o wedi meddwl am y lle ers blynyddoedd. Ond roedd cyfieithiad Simon Lewis wedi deffro'r rhan honno o'i feddyliau lle trigai'r ddinas, a sylweddolodd Iestyn Llwyd yn raddol ei bod hi wedi bod yno drwy'r adeg, fel esgyrn o dan y croen. Ychydig fel atgofion gwasgar Simon Lewis, meddyliodd.

Rŵan, ac yn gynyddol, deffrai delweddau ym meddwl Iestyn Llwyd, fel lluniau angof y daw rhywun ar eu traws wrth glirio drôr. Amlinellau toeau, yr afon a'i glannau, pont arbennig, clwt o bafin neu bwt o stryd. Felly agorodd yr arweinlyfr i Baris, cyhoeddiad 2001, ac agor y map dros ei ddesg. Yng ngolau'r lamp o dan ffenest y to, plygodd Iestyn Llwyd dros strydoedd a rhodfeydd, dros orsafoedd, amgueddfeydd a pharciau y naill ochr a'r llall i linell droellog las a redai drwy'r ddinas. Dilynodd y llinellau gyda'i lygaid, gan ailuno plygiadau'r papur wrth gysoni'r strydoedd a'r print. Gwyddai yn union pa ardaloedd i chwilio amdanyn nhw. Tyfodd y llwybrau, gan ymestyn, nid dros ofod ei ddesg, ond ar hyd y blynyddoedd.

Pa argraff a gafodd arno, eu gweld nhw unwaith eto? A

ynganodd eu henwau yn ei ben wrth ddilyn y llwybrau â'i fys? Hôtel de Ville. Place des Vosges, Place de la République, Rue des Archives, Oberkampf, Belleville. La Gare du Nord. Efallai i'r seiniau weiddi arno, gan ei ysgwyd o'i drwmgwsg. Oherwydd plygodd y map a chaeodd y llyfr, yna estynnodd ar unwaith am *Marco Polo*, gan geisio delweddau newydd nad oedd atsain iddynt yn ei gof. Yn y diwedd aeth allan ar y to.

Roedd hi'n chwythu, ac anadlodd yn ddwfn o'r gwynt a blygai bennau'r coed. Clywai'r afon fach yn llifo, yn rhedeg, yn symud ac yn troi, a theimlodd, nid am y tro cyntaf, yn aflonydd; fel y dylai fod yn mynd i rywle. Pan ddaeth yn ei ôl i mewn, at Baris y trodd unwaith eto.

Daw'r noson honno yn ôl ataf i hyd heddiw, weithiau gyda'r machlud, weithiau gyda'r wawr. Mae rhywun yn sylweddoli, wrth i'r newydd droi'n arferiad, mai'r un pethau, yn y diwedd, sy'n ein galw ni'n ôl: cynnwrf, tynerwch, cwmnïaeth. A chariad efallai. Neu obaith o rywbeth nid annhebyg i gariad. Daeth Anna yn ei hôl ar ôl y Nadolig, ond welais i fawr ohoni ar ôl hynny. Felly pylu wnaeth ei harogl, a chyffyrddiad ei gwefusau yn y bore bach, gan suddo i'r cefndir ac yn ôl i draffig a thwrw'r ddinas o ble y daeth hi. Ac ymhle, y tybiwn i, y byddai'n aros.

Ond daeth y Nadolig cyn hynny, ac fel y dywedais, arhosais i ym Mharis, yn bennaf gan nad oedd gen i nunlle arall i fynd. Yn hynny o beth roeddwn i'n rhan o driawd unwaith eto. Roedd cariad Edward, dawnswraig o Daiwan, yn dal i aros am fisa er mwyn cael ymuno efo fo yn Ffrainc. A Joni, wel, doedd Joni ddim am fod mewn unrhyw le ar wahân i lle roedd o. Felly, gan fy mod innau'n byw mewn atig bach a Joni'n gogydd annibynadwy, penderfynwyd mai cinio Nadolig yn nhŷ Edward oedd piau hi.

Y Nadolig hwnnw camais i fore o heulwen ddisglair, gan ymuno â llif tawel o unigolion gwasgar ar eu ffordd i rywle, gyda phecyn dan gesail neu botel mewn llaw. Ac wrth gerdded, dychmygais yr aelwydydd oedd yn eu disgwyl. Dychmygais y cofleidio wrth y drws, y cotiau'n crogi yn y cynteddau llonydd, ac ystyriais sawl un ymysg y crwydriaid Nadoligaidd hyn oedd yn unig. Chroesodd o 'mo fy meddwl y gallwn innau fod yn un ohonyn nhw, na chwaith y posibilrwydd y byddai unrhyw un a 'ngwyliai i, o ffenest uchel uwchben y gamlas, yn ceisio dychmygu fy nghyrchfan innau yn yr un modd gan ddyfalu a oeddwn i'n unig hefyd. Oherwydd sut mae gwybod, o weld crwydriaid unig y Sul, a ydy'r daith honno'n adlewyrchiad o fywyd cyfan? Roedd yr awyr oer yn las uwchben y gamlas, yn tollti'i llonyddwch dros y stryd ddi-geir a'r bore oedd yn groyw yn yr anwedd a'r haul. Agorwyd drws yr adeilad i mi gyda chlic ac atseiniodd dros y stryd.

Wrth ddringo'r grisiau daeth cymysgedd o arogleuon i fy nghyfarfod i. Roeddwn i'n falch o ddarganfod bod ein cegin ninnau'n cyfrannu atyn nhw, oherwydd wrth imi gamu drwy ddrws Edward anadlais yn ddwfn o'r llysiau oedd yn gefndir i arogl digamsyniol chwaden yn rhostio. Daeth Edward i fy nghyfarch i. Yn ei grys a'i dei arferol, roedd yn gwisgo ffedog blastig dros ei drowsus byr, gyda delwedd o gerflun Rhufeinig arni efo'r rhannau noeth i gyd yn y mannau priodol.

'*Joyeux Noël!*' gwaeddodd arna i cyn fy nghofleidio a gwthio gwydr o win i'm llaw a 'ngyrru i'r lolfa.

125

Roedd Joni'n eistedd ar soffa yng nghylch y ffenest, yr haul yn tywynnu arno, gwydr ar y bwrdd wrth ei ymyl a llyfr agored yn ei law. Oedais am eiliad wrth y drws, a sylwi bod ei wefusau'n symud y mymryn lleiaf wrth iddo ddarllen. Gwenais i mi fy hun. Roedd y peth yn rhyfedd rywsut, fel gwylio plentyn.

'Be ti'n ddarllen ar fore Dolig, Joni, dy Feibl?' gofynnais, ac ysgwyd ei law.

Gwenodd arna i, a chodi'i wydr at f'un innau. Es at y ffenest ac edrych dros bennau'r coed a'r toeau tua Sacré-Coeur oedd yn loyw ar y bryn. Meddyliais am Anna, cyn troi fy ngolwg i'r cyfeiriad arall, ac at y gamlas lonydd islaw.

'Beibl o fath,' meddai Joni gan ddangos y clawr i mi.

'*On the Origin of Species?*' dywedais wrth eistedd gyferbyn â fo. 'Rhag dy gywilydd di, yn darllen y fath gabledd.'

Eisteddon ni yno yn yr heulwen. Bob hyn a hyn deuai Edward i mewn gyda thamaid i'w fwyta gan ddollti llymaid o'r botel oedd ar y bwrdd bach. Chwaraeodd ei gerddoriaeth, ac roedd hi'n braf ac yn ddiog eistedd yno, gyda gwres yr haul a phorffor y gwin, arogl bwyd da'n coginio, a Schubert ar y piano. Adroddodd Joni ei hanes yn y de, a siaradon ni am drefi glan môr yn y gaeaf, am hinsoddau cynhesach, ac am gefnu ar dywyllwch y gogledd. Yna galwodd Edward o'r gegin gan chwalu pob meddwl arall gyda'r newydd fod y chwadan yn barod.

Wrth i Edward dorri'r cig cododd y stêm ohono fo, a dwi'n siŵr fy mod i wedi llyfu fy ngwefusau. Eisteddodd Edward, yn dal yn ei ffedog, a chodi'i wydr aton ni, a mynnu dweud yr hyn roedd o'n ei alw'n bader, ond araith fer oedd hi mewn gwirionedd. Diolchodd i ni'n dau am ddod draw, gan honni mai diolch i ni roedd yn gallu dioddef byw ym Mharis, 'y dinas ddu hwn' fel y dywedodd, oedd yn 'hollol *fucking crap*', ac yn gorfodi iddo fyw heb ei gariad. Gyda chamdreigladau hyderus, dilynodd ei drywydd diolchgar Nadoligaidd ei hun, a sylweddolais ei fod o'n chwil. Pan godais i nôl dŵr sylwais fod ganddo ddwy botel o win ar fynd, un wrth law yn y gegin, oedd yn wag, a'r llall fuodd o'n yfed ohoni ar ei ymweliadau cyson â'r ystafell fyw. Pan soniais am hyn chwarddodd Joni gan godi'i wydr at Edward.

'Ha ha!' chwarddodd Edward yn uchel. 'Mae dyn sydd yn wedi coginio hwyaden mewn *apron – oh*! cachu, beth ydi *apron* yn Gymraeg?'

'Ffedog,' meddai Joni.

'Ah! Boi wnaeth gwisgo ffegod... ffegod?'

'Ffedog,' dywedais innau, gan lenwi fy ngwydr eto.

'*Oh! Avec un tablier, putain!*... Efo peli *marble* – ha! *marbles! –* arno fo yn coginio i *bastards* – y bastads! – yn blydi deservio dau banad o gwin!'

Yn y modd hwn felly y cawson ni'n diddanu dros ginio gan Edward. Roedd yn newydd i mi fod ganddo radd Ffiseg o Gaergrawnt, ac iddo gefnu ar y maes hwnnw er mwyn troi at ganu. Rhoddwyd cân iddo'i dysgu ar gyfer cyngerdd a honno mewn iaith doedd o erioed wedi'i chlywed o'r blaen, a phan ddeallodd mai Cymraeg oedd hi penderfynodd ei dysgu. Roedd ei yrfa a'i fywyd wedi rhoi iddo Eidaleg, Sbaeneg, Ffrangeg ac *ein bischen Deutsch*, ac ar ôl cyfarfod ei gariad mewn cyngerdd yn Nhaiwan, aeth i'r afael â Mandarin. Y diwrnod hwnnw aeth Edward â ni ar daith ddiwylliannol drwy ramadeg yr ieithoedd Celtaidd hyd at ganu Seisnig y Canol Oesoedd, gan alw heibio i bregeth ynglŷn â'r modd roedd sgwennu nodau yn lladd cerddoriaeth. Roedden nhw'n caethiwo'r synau ar bapur, meddai, ond roedd cerddoriaeth i fod yn rhydd i grwydro lle y mynnai. Fel iaith, meddai, gyda sgwennu'n ei chlymu a'i chyfyngu hi. 'Symbolau ydyn nhw,' meddai. 'Fel *decorations* Nadolig. Mae y golau a'r *tinsel* a'r holl cachu i fyny mis Hydref, y symbolau i gyd, ond mae y peth gwir yn mynd yn fwy bach bob blwyddyn. A popis coch hefyd,' ychwanegodd yn llon. 'Mae pawb yn gwisgo nhw, er mwyn cofio, ond cofio gwisgo'r popi, y symbol, dim y peth ei hun, sydd yn pwysig rŵan.'

'Does dim byd yn gwneud iti anghofio,' meddai Joni, 'fel rhywun yn d'atgoffa di drwy'r amser.'

Cododd Edward ei wydr, ac yfon ni at angof, gan gladdu popeth oedd ar y bwrdd, nes i Edward ddod â mwy o fwyd o'r gegin ddi-ben-draw. Pylodd y golau y tu allan a chyneuodd Edward y lampau o gwmpas y fflat. Roedd hi'n gynnes yno o gwmpas y bwrdd, fel bod ar ynys o foethusrwydd yng ngofal rhywun arall. Bob tro y meddylien ni fod y gwin wedi gorffen deuai potel arall o rywle, fel medd o biser hud. Agorodd Edward un botel a gwyliodd Joni a minnau wrth iddo dynhau'r sgriw yn y corcyn, ac yn y distawrwydd clywon ni'r corcyn yn gwichian. Gloc! Cododd Edward y botel at ei ffroenau.

'Brouilly,' meddai. 'Dim gwin cachu.' Yna, dan wenu: 'Ond blydi *wasted* ar ddau *pleb* fel chi! Ia, fy annwyl cyfaillion,' aeth yn ei flaen wrth eistedd eto. 'Cyfaillion, neu... gyfaillion?'

'Annwyl gyfeillion,' dywedais i.

'Diawl o ots,' meddai Joni gan siglo'i wydr gwag yn awchus.

'Fy annwyl dau cyfaill,' aeth Edward yn ei flaen, 'mae'r Nadolig yn gallu bod yn amser trist. Ond dwi'n hapus bod chi yma efo fi heddiw. *Voilà... la vie!*'

Ac wrth i Edward dollti'r gwin, dwi'n cofio imi feddwl yn sydyn am fy Nadoligau fy hun, am gwmni ac wynebau diflanedig. Fel petai'n meddwl yr un peth, adroddodd Edward ei hanes yn mynd efo'i dad ar noswyl Nadolig i bysgota ym mae'r Môr Cam, fel roedd Edward yn ei alw. Gwenodd wrtho'i hun. 'Dyna digon o *nostalgie!*' gwaeddodd yn sydyn. 'Digon o edrych yn ôl.'

'Weithiau dyna'r cyfan sydd gynnon ni,' meddai Joni, gan edrych ar y ddau ohonon ni. 'Y gorffennol ydy'n cynefin ni,' aeth yn ei flaen. 'Mae popeth 'dan ni'n ymwybodol ohono fo wedi digwydd yn barod. Erbyn inni sylwi ar dywallt y gwin mae'r gwydr eisoes yn llawn. Mae'n cymryd amser i wybodaeth gyrraedd yr ymennydd. Yn y gorffennol 'dan ni'n bodoli. Dyna ydy profiad: profi rhywbeth ar ôl iddo fod. 'Dan ni'n profi bywyd ar ôl iddo ddigwydd. Mae'r goleuadau wedi'u diffodd cyn inni ddallt ei bod hi'n dywyll. Erbyn iti sylweddoli bod rhywun yn estyn llaw atat ti, maen nhw eisoes wedi'i thynnu hi'n ôl.'

'Fel ogof Plato,' meddai Edward, yn athronyddol i gyd. Cymerodd Joni lymaid go dda o'i win. Gwnes innau'r un fath. Cododd Edward o'r bwrdd wrth fynd ymlaen. 'Cysgod ydy bywyd,' meddai. 'Ffurfiau ar y wal yn yr hanner-golau. Ysbrydion.'

Edrychodd Joni a fi arno. Yna edrychon ni ar ein gilydd a ffrwydro chwerthin. Roedd Edward yn sefyll yno, yn dal yn ei ffedog blastig efo ceilliau marmor dros ei drowsus byr uwchben ei bengliniau blewog. Edrychodd Edward i lawr arno'i hun, a chwarddodd ar hyd y ffordd i'r gegin.

Ond pan ddaeth yn ei ôl, meddai Joni:

'Yr unig ffordd i oroesi, felly, ydy cerdded allan o'r ogof.'

'Troi dy gefn ar bopeth?' medda fi. Yna, yn fwy difrifol, 'Gan gynnwys y bobl 'dan ni'n garu?'

Trodd Joni i edrych arna i. 'Yn enwedig y bobl 'dan ni'n eu caru,' meddai, a dal ei lygaid arna i.

Er mwyn osgoi gwyro fy ngolwg, dywedais yn gyflym:

'Fel y bobl 'na sy'n mynd allan un bore i brynu llefrith a byth yn dod yn ôl. Jest cerdded, a dal i fynd.'

'Rhaid gadael i bethau fynd,' meddai Joni, wrth y ddau ohonon ni rŵan. 'Bod yn rhydd. Rhydd o bwysau, pwysau teulu, traddodiad, o ddraddodiadau drwg. Diosg y gorffennol, ein croen, ni'n hunain. Faswn i'n dad-ddysgu fy iaith tasa'n bosib. Dileu iaith fy ngorffennol. Dileu'r gorffennol.'

Meddai Edward, 'Fedri di ddim cerdded am byth. Mae amser yn dod pan mae rhaid iti stopio.'

Gwagiodd Joni ei wydr ac estyn am y botel. Yna, fel petai'n rhoi diwedd ar y ddadl, meddai, 'Stopiodd dynolryw gerdded filoedd o flynyddoedd yn ôl, gan godi waliau a dinasoedd a bocsys bach i fyw ynddyn nhw. Dach chi'n meddwl bod hynny 'di gweithio?'

Ei dro o oedd hi i godi'i wydr aton ni rŵan. Ond roedd rhywbeth difrifol yn ei lais, fel bygythiad. Edrychodd Edward arna i a daliais ei olwg am eiliad, ond trodd y ddau ohonom at Joni a chodi'n gwydrau. Fuon ni'n ddistaw am ychydig wedyn. Ac ystyriais tybed a oedd Joni'n meddwl am ei deulu, neu am Anna. Y ddau, efallai. Roedd y diosg diddiwedd hwn, oedd yn rhan annatod o fywyd, yn rhan elfennol o bwrpas Joni Zlatko. Y teithiwr parhaol, trwy amser yn ogystal â thrwy'r tirlun. Crwydrwr, ym mhob ystyr y gair.

Roedd hi'n tywyllu y tu allan erbyn hyn. Codais a mynd at y ffenest. Roedd posib gweld yr oerni'n codi o'r gamlas islaw. Aeth pob un ohonon ni i'n bydau bach ein hunain wrth godi o'r bwrdd, pawb yn gwneud ei ran wrth dacluso mewn distawrwydd. Rhoddodd Edward fwy o gerddoriaeth ymlaen, ac es i feddwl am fetafforau. Diwrnod y Nadolig wedi mynd eto, meddyliais. Roedd y dyddiau tywyll y tu ôl i ni. Roedden ni'n symud i gyfeiriad yr haul.

Llithrodd gweddill y noson heibio mewn hanner golau a chwsg. Tynnodd Edward ei ffedog, er i Joni a minnau erfyn arno i beidio, ac eisteddodd wrth y piano. Aeth Joni'n ddistaw. Wrth i Edward chwarae, edrychon ni'n dau allan ar noson oren o dan y cymylau, ar olygfa o awyr agored a dorrwyd bob hyn a hyn gan amlinell un ohonon ni'n sefyll ar y balconi i smocio. Cefais olwg ar ambell ddarn o Darwin, ond roedd yntau, fel y drafodaeth gynharach, wedi mynd rŵan. Wnes i ddim ystyried bryd hynny, er efallai i Edward wneud, bod y sgwrs honno wedi dod i ben i Edward a fi, ond ei bod hi'n dal i ddatod a phlethu ym meddwl Joni. Dylwn fod wedi gweld y noson honno fod brwydr yn mwydo yn ei ben o, un oedd efallai wedi'i thanio'n barod. Canon ni, ac yfed mwy wrth ail-bigo ar esgyrn a chaws. Ac yna roedd hi'n amser mynd adref.

Cerddais yn ôl, yn fodlon a chwil, ar hyd y strydoedd gwag. Edrychais i fyny tua ffenestri'r unfed *arrondissement* ar ddeg. Yma ac acw, ar y lloriau uwchben y stryd, tywynnai gwres eu goleuadau ac, er fy moddhad, edrychais yn hiraethus – dyna'r unig air sy'n gweddu – ar y cysgodion yn y cartrefi uwch fy mhen, delweddau a awgrymai'r ddelfryd oesol o wres, a chysur, a sicrwydd y tylwyth. Meddyliais am ogofâu, am gysgodion yn erbyn y graig. A phan gyrhaeddais f'ogof fy hun roedd hi'n oer, felly dringais o dan y plu gan edrych ymlaen at San Steffan, pwy bynnag oedd hwnnw.

*   *   *

Cododd Iestyn Llwyd o'i ddesg. Gan ddilyn meddwl nad oedd yn union yn atgof, awgrym oedd o, yn hytrach, neu dim mwy na chysgod awgrym, plygodd heibio i'r grisiau, symudodd gotiau a bwced a mop a llusgo'r hen flwch llyfrau i ganol llawr yr ystafell fyw. Yno, ar ôl oedi, agorodd y blwch a dechrau estyn y cyfrolau, un ar y tro, a'u trefnu ar silff wrth y ffenest. Wrth wneud, gwyrodd bob un i gyfeiriad y golau gan redeg ei law drostynt a darllen eu cloriau. Ac wrth eu darllen ceisiodd gofio ymhle y darllenodd y cyfrolau gyntaf. Sylwodd ar eu holion – cornel un wedi'i phlygu, pry wedi'i wasgu rhwng clawr a thudalen gyntaf un arall – a chafodd o 'mo'i synnu o weld bod ganddo yntau hefyd gopi o *On the Origin of Species*. Agorodd y clawr. Darllenodd y llinellau cyntaf: *I will here give a brief sketch of the progress of opinion on the Origin of Species...* Roedd wedi anghofio pa mor rhwydd oedd yr arddull. Penderfynodd y byddai'n ei ailddarllen rywbryd. Yna gosododd Darwin ar y silff. Roedd wrthi'n codi llyfr arall pan glywodd synau lleisiau a throi olwynion yn nesáu ar y ffordd. Pwysodd at y ffenest a gweld criw o feicwyr yn mynd heibio. Ac yn sydyn, gyda Baudelaire yn ei law, cofiodd feic arall yn pasio, olwynion eraill, eu sŵn ar y coblau'n codi at ffenest bell o dan awyr wahanol, flynyddoedd yn ôl. Ble oedd hynny? A phryd? Ond yna, mewn eiliad, roedden nhw, beicwyr ddoe a heddiw, wedi mynd.

13
Straeon

'Wnes i erioed ddeud yr hanes am Anna a fi'n cyfarfod wrthat ti?' gofynnodd Joni i mi.

Prynhawn Sul oedd hi, tua diwedd Mawrth, ac roedd Joni a fi'n eistedd yn y londrét. Roedd y blagur cyntaf wedi dod i'r coed, gan leddfu rhywfaint ar lwydni'r adeiladau a'r awyr. Roedd troad y flwyddyn wedi dod ag arferion newydd efo fo, a doeddwn i ddim wedi gweld Joni ers sbel. Doedd neb wedi gweld Anna chwaith, ddim yn y Cactus o leia, ac er imi wrthod y temtasiwn i'w ffonio hi fedrwn i ddim atal fy hun rhag meddwl amdani. Ond ro'n i wedi bod yn meddwl am Joni hefyd, a des i deimlo fod Anna'n iawn ynglŷn â fo, am ei holl siarad am ddiosg cadwyni a throi cefn ar y gorffennol. Oherwydd des i amau mai hi, wedi'r cwbl, oedd yr unig beth cadarn ym mywyd Joni Zlatko. Hi oedd ei fap. Ac efallai i Joni sylweddoli hynny hefyd, a bod ei gweld hi'n ymbellhau yn ei ddychryn. Dyna pam roedd o wedi cilio, er mwyn amddiffyn ei hun. Fodd bynnag, yn ei dro, effeithiodd hyn oll ar orbit bach fy mywyd ym Mharis, fel petai'r atyniad a reolai'r mân elfennau wedi gwanhau. Aeth pawb ar chwâl rywsut, ac, o ganlyniad, cawson ni i gyd ein gyrru i gylchu sêr newydd.

Y seren a'm denodd, gan ddisgleirio'n llachar am amser byr, oedd merch o'r enw Sophie. Roedd hi'n byw yng ngorllewin y ddinas, ac er na pharodd pethau ddim mwy na mis neu ddau, rhyw ysbaid o rannu prydau, o gerdded mewn parciau ac o gysur a gwres yn y prynhawn, roedd y profiad wedi ymestyn fy ngorwelion. Rhoddodd flas i mi ar ardaloedd mwy goludog Paris, gyda'u rhodfeydd coediog a'u strydoedd tawel ar y Sul. A byddwn i'n dal i fynd yno, gan chwilio am feinciau ac amser efo fy llyfrau. Oherwydd y gwir oedd fy mod i'n trio sgwennu, ac roedd osgoi temtasiynau'r Cactus i'w weld yn gam hanfodol i'r perwyl yna. Hap a damwain felly a barodd imi weld Joni y pnawn hwnnw o wanwyn.

Ro'n i'n aros i gylch y peiriant golchi ddod i ben pan gerddodd drwy'r drws. Roedd o'n gwisgo'i gôt croen dafad, yn agored dros hen grys T. Doedd o ddim wedi siafio ers amser.

'Dwi ddim wedi dy weld di ers sbel,' medda fo.

'Ti'n tyfu locsyn?' medda fi, wrth godi i ysgwyd llaw.

'Ha!' meddai. 'Mae o i'w weld yn tyfu ar ben ei hun,' meddai, gan symud o droed i droed. 'Lle ti 'di bod? Sgin ti ddynes yn rhywle?' Gofynnodd yr ail gwestiwn ac yntau prin wedi gorffen y cyntaf.

'Mi oedd gen i,' atebais, 'ond dydy hi ddim yn ateb ei ffôn yn ddiweddar. Sut mae Anna?'

'Yng Nghymru, am wn i,' meddai'n swta. Roedd o ar binnau. Gollyngodd ei fag golchi ar y llawr a dechrau llwytho'i ddillad i un o'r peiriannau. Tarodd fi ar f'ysgwydd wrth eistedd wrth f'ymyl i.

'Dwi wedi dechrau sgwennu nofel,' meddai.

'Dwinna hefyd,' medda fi.

'Gwych! Ynglŷn â be?'

'Wel, dim ond syniadau ydyn nhw hyd yma,' dywedais. 'Be amdanat ti?'

'Hanes dyn sy'n anghofio pwy ydy o,' meddai Joni. Oedodd am eiliad. Yna gwenodd a dweud, 'Ond sut i ddechrau, dyna'r broblem.'

Aeth ymlaen i egluro'i syniadau ar gyfer ei nofel, ac wrth wneud edrychai o'i gwmpas i bob cyfeiriad fel petai'n chwilio am rywbeth, neu'n disgwyl i rywun gerdded drwy'r drws. Siaradai tuag at y peiriannau golchi, at yr hysbysebion ar y waliau a'r teils ar y llawr. A phan edrychai arna i roedd ei olwg yn mynd drwyddaf i, nes fy mod i'n anwybyddu'r geiriau a chanolbwyntio ar ei lygaid, gydag unrhyw beth a ddeuai o'i geg yn toddi i furmur mwyn y peiriannau golchi. Dylwn fod wedi cymryd hyn oll fel rhybudd, ond dewisais ei gymryd fel arwydd o frwdfrydedd creadigol, o'i egni. Felly dywedais:

'Weithiau mae'r geiriau'n dod ar eu pen eu hunain.'

Roedd o'n edrych i'r gofod ar lawr y londrét rŵan, ond roedd ei goesau'n neidio'n ddi-baid. Roedd fy ngolchi'n barod felly codais a gwagio cynnwys y peiriant i fy mag. Troais yn ôl at Joni gan baratoi i adael, ond cododd yntau ar ei draed a dweud:

'Diod bach?'

Doeddwn i ddim isio diod yr adeg honno o'r dydd, ond doeddwn i ddim wedi'i weld o ers talwm felly dywedais, 'Iawn, un sydyn. Yn y Cactus?'

'Nage,' atebodd, gan anelu at y drws. 'Awn ni i'r Rambuteau.'

'Be am dy olchi di?' gofynnais.

'Ga' i o wedyn,' meddai.

Yn y stafell fawr oedd yn ffenestri a drychau uchel, safon ni wrth y bar a phan ddaeth y cwrw cododd Joni ei wydr a'i siglo wrth wylio'r hylif melyngoch yn troelli yn erbyn y golau. Yna trodd i edrych ar y cownter o'i flaen. Troais innau hefyd, a gweld bod yr wyneb sinc yn dal adlewyrchiad y goleuadau o'r tu ôl i'r bar, fel goleuadau ceir drwy'r niwl, yn wyneb o gysgodion pŵl oedd yn adfywio'n sydyn wrth ddynwared gwydr yn codi, neu fraich y barman yn pasio cadach drosto.

Roeddwn i'n meddwl am nofel Joni, am rywun yn anghofio pwy oedd o, a meddyliais a oedd pwynt yn cyrraedd pan fo rhywun yn mynd mor bell fel na all droi'n ôl. A dwi'n cofio, tra safon ni yno mewn distawrwydd, y synnwyr clir o ofod, o fwlch oedd wedi tyfu rhyngddon ni, yn sydyn ac yn ddirybudd, fel toriad, fel diwedd rhywbeth nad oedd modd mynd yn ôl ato. Edrychodd Joni'n syth o'i flaen ac edrychais innau i'r stryd ar y llif o ddynol-ryw'n ymlwybro heibio efo'u pennau i lawr.

'A be os wyt ti'n mynd yn ôl a gweld bod 'na ddim byd yno?' meddai Joni ymhen sbel, fel petai'n ymateb i rywbeth ro'n i wedi'i ddweud, ond dwi ddim yn meddwl imi ddweud unrhyw beth.

'Ti'n mynd yn fwgan,' dywedais.

Gwagiodd ei wydr a'i osod ar y cownter. Yna, yn sydyn, meddai:

'Mae Anna wedi mynd yn ôl i Gymru.' Dyna i gyd, datganiad syml o ffaith. Gwyliais wrth iddo lanhau ei farf efo cefn ei law. Wyddwn i ddim beth i'w ddweud. Collais fy ngwynt am eiliad. Roedd Anna wedi mynd felly, heb ddweud gair.

Sylwais fod Joni'n edrych arna i.

'Cactus?' meddai.

Y gwir oedd, er gwaetha'r newyddion ac er gwaetha'r chwilod yn ei ben, ro'n i wedi gweld colli Joni, ac yn falch o fynd efo fo i'r Cactus. Doedd neb o'r criw yno, ac roedd hynny'n dda o beth, oherwydd ymlaciodd Joni. Dyna pryd y gofynnodd a oeddwn i erioed wedi clywed ei hanes yn cyfarfod Anna. Nos Sul oedd hi, meddai, roedd o wedi bod yn Genefa am y penwythnos a dim 'mynedd mynd adra.

'Felly dyma fi'n penderfynu mynd i'r sinema. Es i Balard, i'r hen sinema 'na o'r oes a fu, y Grand Pavois... ti'n ei nabod hi? Es i at y cownter a gofyn i'r ferch be oedd gynnyn nhw. "*Mort à Venise*", meddai hi'n glên i gyd, "*et Vol au-dessus d'un nid de coucou*". Wnes i ddewis yr ail un.'

Gwrandawais ar stori Joni, stori dda wrth gwrs, fasa rhywun ddim wedi medru dyfeisio un well: hi'n gollwng ei llyfr a hwythau'n mynd am ddiod, ac yntau'n dynwared Jack Nicholson, yn y *Shining* i ddechrau ac yna yn *One Flew Over the Cuckoo's Nest*, a'r ddau yn siarad a chwerthin, fel dau berson alltud ar un ynys fach.

'Meddwl,' meddai Joni ar ôl gorffen. 'Dyna ddeudodd hi. "'Dan ni i gyd wedi cwarfod o'r blaen, 'di o mond yn gwestiwn ydan ni'n cofio neu beidio." Rhyfedd, ond dwi ddim yn cofio'n iawn be ddigwyddodd ar ôl hynny. Mae amser i'w weld yn neidio weithiau'n ddiweddar.'

Dyna'r ail arwydd y dylwn fod wedi'i weld; bod amser yn dechrau llithro efo Joni. Ond doedd gen i ddim syniad pa mor ddrwg oedd o, welwn i ddim mai trefn pethau oedd yn dechrau chwalu, yn dadfeilio'n ara deg o'i gwmpas. Felly ddywedais i ddim byd, dim ond dal i yfed, efo Manu'n gwneud ei hen driciau gan gynnig diod am ddim i bawb oedd ar fin gadael fel nad oedd neb yn gadael yn y diwedd, a'r londrét wedi hen gau, dillad Joni yn dal yn y peiriant golchi a'r oriau'n llithro heibio, amser ei hun yn nofio heibio. Es i allan am smôc. Pan ddes i'n ôl gwelais fod yr olwg ar wyneb Joni eto, yn dywyll ac yn ddwys. Dwi wedi meddwl ers hynny ai ofn oedd yn yr olwg honno, bod Joni'n synhwyro bryd hynny fod pethau'n llithro oddi wrtho. Ro'n i'n gwybod am yr yfed a'r mân-gyffuriau, ond wyddwn i ddim bryd hynny am y tabledi a'r stwff caled, nac am y nosweithiau a'r dyddiau di-gwsg. Roedd ei feddyliau'n rhedeg ar eu pen eu hunain, yn agor drysau na fyddai'n hawdd eu cau eto. Nes ymlaen, tu allan, gyda Manu'n tynnu'r gorchudd haearn i lawr, gofynnodd Joni i mi:

'Pa fath o lyfr wyt ti'n sgwennu? Ditectif? *Un policier?*'

Roedden ni'n dau'n siglo rŵan, a byddai unrhyw synnwyr, fel chwd, yn cael ei adael lle roedden ni.

'Dwi ddim yn siŵr eto,' atebais.

Chwarddodd Joni. Yna, mewn llais difrifol, meddai, 'Os wyt ti isio rhywbeth i sgwennu amdano fo, sgwenna am be sy'n digwydd i rywun sy'n colli'i hun. Jest i weld lle mae o'n mynd.'

Dyna'r trydydd rhybudd. Ond wrth imi ddringo'r grisiau i fy fflat y noson honno, ro'n i wedi anghofio erbyn y trydydd llawr am Joni ac Anna a'u dawns fach wrth ddrws y sinema, gan feddwl yn hytrach am unigrwydd a hiraeth a chyffyrddiad tyner Sophie. Dydw i ddim yn siŵr a ffoniais i hi, ond os wnes i atebodd hi ddim, oherwydd chlywais i byth ganddi hi wedyn.

Edrychodd Iestyn Llwyd yn hir ar y sgrin. Roedd o wedi clywed y stori hon o'r blaen. Chwiliodd yn ôl yn rhan gyntaf ei gyfieithiad: dyn yn dod oddi ar y trên, y sinema a'r llyfr a'r ferch yn y bar. A'r busnes dynwared Jack Nicholson yma hefyd.

Yn sydyn sylweddolodd Iestyn Llwyd ei fod o wedi cymryd yn ganiataol, pan ddechreuodd gyfieithu, mai Simon Lewis oedd y dyn a ddaeth oddi ar y trên y noson gyntaf honno. Mai ei hanes dryslyd ei hun roedd o'n ei adrodd, yn ddyn coll ar ymyl y dibyn. Oedd o wedi camddeall o'r dechrau un felly? Oherwydd os oedd unrhyw un yn y stori yma'n colli'i afael ar bethau, roedd yn ymddangos bellach mai'r cymeriad hwn, Joni Zlatko, oedd hwnnw.

Felly ystyriodd Iestyn Llwyd bosibilrwydd newydd. Beth os cymerwn ni, meddyliodd, mai'r llall yma, Joni Zlatko, ddaeth oddi ar y trên ar y dechrau un wedi'r cwbl? A beth, meddyliodd Iestyn Llwyd ymhellach, os mai hanes Joni Zlatko ei hun oedd yr holl stori hon, wedi'i ddyfeisio a'i blygu a'i droi i fod yn nofel?

Ond o ystyried hyn daeth yn ymwybodol o bosibilrwydd arall nad oedd wedi'i daro fo tan rŵan: bod Simon Lewis a Joni Zlatko yr un dyn. Os nad oedd gan Simon Lewis gof o'i orffennol yna sut allai o wybod pwy oedd o? Efallai nad oedd Simon Lewis yn ddim mwy na chymeriad yn y stori; atgof pell o berson go iawn nad oedd yn bodoli y tu allan i ben yr awdur? Mai Joni Zlatko oedd y dyn a alwai ei hun yn Simon Lewis, a doedd o ddim hyd yn oed gwybod hynny.

Yr ystyriaeth hon, yn ddi-os, oedd camgymeriad mwyaf Iestyn Llwyd. Ond y mwyaf yn y byd y meddyliai am y peth, y mwyaf y teimlai'n sicr fod yr holl beth yn ffitio. Helpwch fi i wneud synnwyr o'r gorffennol, roedd y dyn wrth y bont wedi'i ddweud. Ac o feddwl am hynny rŵan gwelodd Iestyn Llwyd wireddu'r holl amheuon a fu'n bryder iddo o'r dechrau un. Oherwydd gwelai y gallai o, y cyfieithydd, newid hyn oll. Newid yr enwau, newid y bobl, newid y gorffennol. A fuasai neb ddim callach.

Y prynhawn hwnnw eisteddodd Iestyn Llwyd yn ei gar wrth y bont yn chwilio am arwydd gan Simon Lewis, neu Joni Zlatko, neu beth bynnag oedd ei enw fo. Yn gynharach, pan barciodd ar ymyl y stryd, disgleiriai'r heulwen yn fwyn ar gerrig y bont ac ar wyneb y fflatiau. Yn yr afon safai crëyr glas. Roedd Iestyn Llwyd wedi'i weld yn sefyll yn y goeden ar y lan gyferbyn, ac wedi'i wylio wrth iddo ymestyn ei wddw, i ddechrau, yna ei adenydd, a glanio yn y dŵr bas ychydig yn uwch na bwa canol y bont. Gwyliodd Iestyn Llwyd y ceir yn croesi, a'r cymylau'n tewychu ac yn chwalu dros y bryn. A meddyliodd: be yn union roedd o'n ei gyfieithu, ac i bwy? Roedd yr ateb efo'r dyn wrth y bont, meddyliodd. Yna meddyliodd: Mi alwa i o'n Simon Lewis am y tro, nes ei fod yn barod i dderbyn y gwir. Felly arhosodd Iestyn Llwyd o fewn golwg i'r fflatiau, wrth i'r dydd droi'n nos o'i gwmpas. Erbyn hyn roedd y crëyr glas wedi hedfan, y coed unigol wedi pylu'n un, a goleuadau'r bont yn adlewyrchu llif yr afon ar waelod y bwâu.

Yn sydyn – efallai iddo bendwmpian – sylweddolodd ei bod hi'n dywyll. Roedd yn ceisio cofio i ble'r aeth yr amser, nid yn unig y prynhawn hwnnw, efallai, ond y blynyddoedd eu hunain, pan ddaeth golau yn ffenest ganol y fflat. Oherwydd mae Iestyn Llwyd bellach wedi amcangyfrif nifer y lloriau a'r fflatiau yn adeilad Plas Fictoria. Ac wrth ddyfalu cynllun yr adeilad mae hefyd wedi dyfalu mai ar y trydydd llawr mae Simon Lewis yn aros. Mae arwydd o fywyd ym mhob ffenest ar y llawr hwnnw – llenni sydd ar gau weithiau ac ar led droeon eraill, dynes yn darllen wrth lamp gyda'r nos, hen ŵr yn aildrefnu lluniau ar y sil – ond mae un ffenest yn foel, ac mae o wedi penderfynu mai'r un wag honno ydy ffenest Rhif 7. Ond rŵan mae golau yno, golau pŵl ymhell o fewn yr ystafell. Mae'r llenni ar agor, ond all Iestyn Llwyd ddim yn ei fyw â chofio a oedden nhw ar gau pan barciodd; roedd mor bell yn ôl rywsut. Mae'n aros, gan ystyried a ydy'r llenni'n bwysig. O'r diwedd mae'n penderfynu nad ydyn nhw, ac na fydd neb yn mynd nac yn dod heno. Ac er nad ydy Iestyn Llwyd wedi deall yr hyn sy'n digwydd iddo, mae o wedi gweld o'r diwedd nad ydy pethau fel roedden nhw'n ymddangos. A rŵan, wrth danio'r modur, mae o hefyd, efallai, yn synhwyro rhywbeth mae o wedi'i amau ers dyddiau, efallai ers blynyddoedd: mai aros am Iestyn Llwyd mae o mewn gwirionedd, neb arall. Gwylio i weld be fyddai o'i hun yn ei wneud nesaf.

RHAN 3

14

Arwyddion

Mae yna ddwy Armenia – cyfieithodd Iestyn Llwyd un bore – un fawr ac un fach. Yn arglwyddiaethu ar yr un fach mae brenin cyfiawn sydd, yn ei dro, yn talu gwrogaeth i'r Tartariaid. Mae yno lawer o ddinasoedd a chestyll, a chyfoeth enfawr, a digonedd o bob math o helwriaeth, yn anifeiliaid ac adar di-rif. Ond mae'r hinsawdd yn niweidiol iawn i iechyd y trigolion. O ganlyniad, mae'r gwŷr nobl, a fu un tro yn rhyfelwyr dewr, bellach yn waelaidd a gwan, a'u hunig falchder yw eu bod yn yfwyr o fri.

Dwy Armenia, meddyliai Iestyn Llwyd, dwy iaith, dwy fodolaeth. Rŵan, a'r gorffennol. A cheisiodd gofio'r Iestyn Llwyd arall hwnnw, hwnnw a beidiodd â bod. Oherwydd doedd dim amheuaeth bellach bod angof rhywun arall wedi cynhyrfu'r graig oedd yn sylfaen i Iestyn Llwyd. Fel petai hanes Simon Lewis, neu Joni Zlatko, neu bwy bynnag oedd o, wedi aflonyddu'r cerrig unigol nes eu bod yn gwthio'n erbyn ei gilydd, a'r holltau'n atseinio ar hyd talcen caled ei fywyd ei hun.

Fel y graig honno a ddangosodd ei daid iddo, mewn bywyd pellennig, gyda'r haul yn tywynnu. Roedd y llethrau'n las a phorffor – sgwennodd – ac roedd ei daid yn siarad am yr hen gapel, a'r graig a ddisgynnodd arno.

'Dyna'r capel, yli,' roedd o'n dweud, yn y llais yna oedd yn crafu, 'neu lle roedd o, 'de.'

A dyna hi, craig gron yn sefyll ar ei phen ei hun ar ymyl y ffordd.

'Ddaeth hi lawr fanna,' meddai ei daid. Roedd o wedi plygu i siarad efo fo, ei lais yn uno â'r gwynt ysgafn a redai dros y grug ac a nofiai i'w glustiau, awel Eryri yn gymysg â sigaréts. 'Weli di?' Ac estynnodd ei fraich o flaen llygaid yr Iestyn ifanc, ac ar ben y fraich, ei law, ac yn amneidio o'r llaw roedd blaen bys melynfrown. Wrth sgwennu, edrychodd yr hen Iestyn ar ei fys: yr un bys, byddai ei fam yn ei ddweud. 'Ac mi rowliodd o i lawr o fanna,' dim byd ond y llais a'r llethrau, 'nes iddo ddisgyn i lawr i fama ac ar ben y capel, a'i falu'n deilchion. Ond lwcus, 'de. Roedd y capel yn wag a'r plant yn yr ysgol. Neu fysan nhw i gyd wedi cael eu lladd.'

I gyd wedi'u lladd.

Diwrnod arall. Gadael y car a dringo'r llwybr lle byddai ei dad a'i daid yn dod i sgota. Eistedd ar fryncyn uwchben Llyn y Tylwyth Teg, a gwylio'r ynys sy'n symud. Diwrnod o awel, o ddŵr tawel yn erbyn y lan, o gribau mynyddoedd.

Pwy ydan ni i gyd – sgwennodd ymhellach – pan fo'r lleisiau'n tewi, a'r wynebau'n cilio? O ble daw atgofion o'r fath? A phan ddôn nhw, be mae rhywun yn ei wneud efo nhw? Eu dileu? Eu diosg? Edrych arnyn nhw, o bell ac yn ddihid, heb deimlo'u gwres? Fel petai amser wedi gwahanu'r Fi sy'n cofio oddi wrth y Fi hwnnw a brofodd. Fel petai amser wedi codi'r atgof, fel mae llawfeddyg yn codi'r drwg a'i dynnu ymaith fel nad ydy o mwyach yn rhan ohonon ni, a'i ollwng, fel bwled i bowlen.

Gyda'r pethau hyn ar ei feddwl y dringodd Iestyn Llwyd

o'r dyffryn, ac wrth ddod at y tir agored a'r corstir oedodd yn llygad yr haul o flaen y mynyddoedd, eu copaon dan eira. Caeodd ei lygaid, gan synhwyro'r dŵr a'r tyfiant, oll yn troi rhwng glesni'r tir a'r awyr, gyda dim i'w glywed ond curiad adenydd adar, galwadau pell anifeiliaid, a'r gwynt. Tirlun cyntefig, byd elfennol o greigiau a dŵr.

Dim syndod i Charles Darwin ddewis dod yma, meddyliodd, wrth ddilyn llwybrau'r defaid. Yma y dysgodd ei grefft a fyddai'n ei arwain at y Beagle, ac at ei ddamcaniaethau ynglŷn ag esblygiad naturiol. Ceisiodd Iestyn Llwyd ei osod yn y tirlun gyda'i diwtor geoleg, Adam Sedgwick, â'u hofferynnau a'u llyfrau. Dychmygodd nhw, yno yng ngwacter Eryri, dau wyddonydd mewn gwasgod a het.

Cerddodd Iestyn Llwyd ymlaen. Aeth heibio i hen weithfeydd plwm, ac oedodd i syllu i byllau segur. Rywle, ar ymyl cae diarffordd, safodd yng nghanol adfail tŷ gan gamu dros y cerrig gwasgar. Yno, o flaen yr aelwyd, cododd ei ben i wylio'r chwyn ar y trawstiau'n neidio ar yr awel, ac aderyn yn hedfan heibio uwchben. Yn ddiweddarach mae'n ystyried pa aderyn a welodd, a pha fath o blanhigyn a dyfai o'r trawstiau.

Ar ôl cyrraedd adref ceisiodd weithio ymhellach ar *Marco Polo*, ond roedd y geiriau'n 'cau dod. Doedd y bont rhwng y ddwy iaith ddim yn cysylltu. Gyda'i feddwl ar ffosilau, mae'n rhaid, gorffennodd Iestyn Llwyd ei gofnodion am y dydd, gan sgwennu mai delwedd hawdd ydy gweld straeon fel haenau o graig. Mae hanes fel pridd – ysgrifennodd – os dylli di drwy'r haenau o eiriau fe ddei di'n nes at y gwir.

* * *

Mae'n arferiad gan gyfieithwyr gysylltu â'u cyflogwr pan fo
cwestiwn amwys yn codi sy'n ymofyn eglurhad. Gan ei fod
yn tybio fod atgofion Simon Lewis yn perthyn i rywun arall,
gwelodd Iestyn Llwyd o'r diwedd nad oedd ganddo ddewis
ond rhannu ei amheuon efo fo. Roedd yn dal i feddwl sut
orau i wneud hynny tra canai'r ffôn y pen arall. Pan atebodd
Simon Lewis, bu'n rhaid i hwnnw ddweud 'helô' ddwywaith
cyn i Iestyn Llwyd ddweud:

'Fi sy 'ma.'

'Ah, sut mae?' meddai'r llais, yr un llais â'r tro diwethaf,
yr un llais ag a oedd ar ei beiriant ateb, yr un un ag wrth y
bont. 'Sut mae'r cyfieithu'n dod?'

'Dyna pam dwi'n galw.'

'Pam arall.'

'Yn union. Mae 'na rywfaint o ddryswch.'

'Fedra i ddeall hynny.'

'Dydy pethau ddim yn ffitio. Mae 'na ddau ddyn. Mae
'na un dyn o'r enw Joni Zlatko sy'n drysu atgofion. Ac mae
'na ddyn arall o'r enw Simon Lewis.'

'Sef fi.'

'Wel, dyna'r peth.'

'Beth?'

'Wel... ydy hi'n bosib dy fod ti wedi drysu enwau?'

'Fi?'

'Ydy hi'n bosib mai Joni Zlatko ydy Simon Lewis... hynny
yw, mai Joni Zlatko wyt ti? Mae o i'w weld yn...'

'Ia?'

'Colli gafael ar bethau. Fel tasa fo'n dechrau anghofio.

146

Mae 'na rywbeth yn digwydd iddo fo.'

Distawrwydd. Clywodd Iestyn Llwyd sigarét yn tanio. Ar ôl ychydig meddai:

'Helô?'

'Dwi'n dal yma.'

Distawrwydd eto. Efallai oherwydd pylni'r prynhawn, efallai oherwydd twneli culion ei feddyliau ei hun, cafodd Iestyn Llwyd y syniad rhyfeddaf fod y dyn arall yn sefyll mewn ystafell dywyll, fel petai'r dydd eisoes wedi machlud lle roedd o'n siarad, a'r unig olau ar ben arall y ffôn oedd y lludw coch roedd o'n tynnu arno. Yna meddai Iestyn Llwyd:

'Mae 'na ddau bosibilrwydd. Naill ai dy fod ti wedi dechrau sgwennu – wnest ti ddweud dy fod ti'n sgwennu nofel – am rywun arall, rhywun oedd mewn trafferth, rhywun oedd yn llithro i ffwrdd ohono fo'i hun...'

'A'r ail bosibilrwydd?'

'Mai ti ydy'r person hwnnw. Mai ti ydy Joni Zlatko.'

'Ond pwy felly ydy Simon Lewis?'

'Dyfais? Dim ond storïwr. Ffordd o adrodd y stori.'

'Wel, wel. Do'n i wir ddim wedi rhagweld hyn.'

'Ydy o'n bosib? Nad wyt ti ddim y sawl roeddet ti'n feddwl oeddet ti?'

'Oes unrhyw un ohonon ni'r sawl mae o'n feddwl ydy o?'

Ddywedodd Iestyn Llwyd ddim byd am ychydig. Yna meddai:

'Be ddigwyddodd i ti? Damwain? Strôc?'

Ar ôl oedi anwybyddodd Simon Lewis y cwestiwn a dweud:

'Ond mae 'na drydydd posibilrwydd.'

'Sef?'

'Bod 'na ddau berson wedi'r cwbl. Mai Simon Lewis ydw i wedi'r cwbl. A bod Joni Zlatko ar goll.'

'Os ydy Joni Zlatko ar goll, mae hynny'n golygu ein bod ni – dy fod ti – yn dal i chwilio amdano fo. Yn dal i chwilio amdanat ti dy hun.'

'Falla ein bod ni'n dau'n chwilio am yr un dyn.' Oedodd Simon Lewis. Yna meddai, 'A'r oll sydd rhaid ei wneud ydy dod o hyd iddo fo. Nos da, Iestyn.'

A dyna fo. Rhoddodd Iestyn Llwyd y ffôn i lawr, ai ar Simon Lewis neu ar Joni Zlatko, wyddai o ddim.

* * *

Ar y diwrnod byrraf, ar ôl iddi dywyllu, mae Iestyn Llwyd yn mynd allan. Mae'n cerdded heibio i'r siopau gyda'u goleuadau Nadolig ac yn edrych drwy'r ffenestri i loches glyd y tai. Dyn yn ei ogof, a'r blaidd y tu allan, meddyliodd Iestyn Llwyd, ac fel blaidd, mae'n crwydro'r strydoedd, i mewn ac allan o gysgodion y dref. Wrth yr afon mae'n troi i lawr y grisiau cerrig sy'n arwain at y llwybr cul o dan wal y fynwent. Daw digon o oleuni'r lloer iddo ddirnad cerrig y llwybr o'i flaen a chrychau'r afon o dan y chwyn wrth ymyl y lan. Ond dydy o ddim yn dilyn y llwybr i'r pen. Yn hytrach mae'n oedi cyn cyrraedd golau'r stryd, ac yno mae'n ymochel wrth y wal er mwyn edrych i fyny ar Blas Fictoria ar ochr arall y ffordd. Rhywle yn ei ben mae llais yn gofyn iddo be mae o'n da yno, yn sefyllian yng nghysgodion y bont, ond mae Iestyn Llwyd yn ei anwybyddu. Y cyfieithiad sy'n rheoli pethau rŵan, nid y cyfieithydd.

Gwelodd fod golau ym mhob ffenest yn yr adeilad ar

wahân i un Simon Lewis. Safodd yno'n ddigon hir i weld ffigwr yn ymddangos yn y ffenest ddu, taniad sydyn yn goleuo sigarét, ac wyneb na allai Iestyn Llwyd ei weld yn glir. Arhosodd Iestyn Llwyd yno yn gwylio nes i'r ffigwr ddiflannu i berfeddion y tŷ.

Y diwrnod canlynol aeth yn ei ôl i Blas Fictoria. Yn y cyntedd chafodd o 'mo'i synnu o weld bod yr amlen olaf iddo'i gollwng yno yn dal yn y blwch. Dim unrhyw bost arall, dim ond yr un amlen fawr honno, gyda'i lawysgrifen ei hun arni. Camodd at y drws mewnol a thrio'r ddolen. Roedd ar agor. Gwthiodd y drws a chamodd i'r coridor ac edrych i fyny'r canllawiau. Yna dechreuodd ddringo. Roedd o'n iawn: roedd tair set o risiau cyn dod at ddrws efo rhif 7 mewn arwydd pres arno. Curodd. Dim ateb. Gyferbyn roedd drws arall. Oedodd, yna croesodd y grisiau a chanu cloch Rhif 8. Roedd ar fin troi am y grisiau pan glywodd sŵn pell traed yn llithro dros y llawr yr ochr draw. Agorodd clicied ac ymddangosodd hen ddynes yng nghil y drws.

'Dwi'n chwilio am Simon Lewis,' meddai Iestyn Llwyd. 'Y dyn sy'n aros yn y fflat yna,' a throdd i amneidio at y drws gyferbyn. 'Ydach chi'n ei nabod o?'

'Ffrind ydach chi?' meddai'r ddynes.

'Ia.'

'Dydy o ddim adra?'

'Nac ydy,' meddai Iestyn Llwyd.

'Dwi ddim wedi'i weld o ers rhai dyddiau. Mi fedra i ddweud wrtho fo eich bod chi wedi galw.'

'Na, does dim angen. Diolch.'

'Ond fydd o'n falch, dwi'n siŵr.'

'Diolch, na, mae'n iawn.'

A dechreuodd droi i ffwrdd pan ddywedodd yr hen ddynes:

'Ella bysach chi'n medru'i helpu fo.'

'Ei helpu o?' gofynnodd Iestyn Llwyd.

'Ia. I ddod o hyd i'w ffrind.'

Oedodd Iestyn Llwyd. 'Ei ffrind?' gofynnodd.

'Zlatko,' meddai'r hen wraig. 'Dwi'n ei gofio fo, dach chi'n gweld, cofio'r teulu. Dwi'n cofio'r ddamwain.'

'Y ddamwain?'

'Ia, pan laddwyd y rhieni. Yn y car.'

'Yma ddigwyddodd hynny?'

'Ia, tu allan i'r dref.'

'Oes 'na rywun ar ôl o'r teulu?' gofynnodd yn syn.

'Eu llwch nhw,' meddai, 'i fynny'n fanna yn y goedwig.'

'Dim teulu?'

'Mi roedd 'na fab. Plentyn, ond aeth hwnnw at berthnasau yn rhywle. Dach chi'n siŵr na tydach chi ddim am imi roi neges iddo fo pan wela i o?'

'Na, dim diolch.' A throdd i adael.

'Rhyfedd,' meddai'r ddynes. 'Am funud ro'n i'n meddwl mai chi oedd o.'

Yn y cyntedd ystyriodd fynd â'r hen amlen efo fo ond penderfynodd beidio. Yn hytrach, gollyngodd yr un ddiweddaraf wrth ei hymyl i'r blwch. Yna aeth i'r swyddfa.

* * *

Pan aeth drwy'r drws cododd Dyfan o'i ddesg. Meddyliodd Iestyn Llwyd am eiliad ei fod am ei gofleidio, ond dim ond estyn ei law wnaeth o.

'Sut oedd Québec?' gofynnodd.

'Gwych,' meddai Dyfan. 'Ond dwi'n falch o fod adra. Boi fy milltir sgwâr ydw i yn y bôn.'

Felly eisteddodd a gwrando ar Dyfan yn adrodd ei hanes, am ei helyntion yn siarad Ffrangeg, ei syniadau newydd ynglŷn â chyfieithu, am ei ryfeddu at gyfandir eang na chafodd ond cip arno. Fel gwrando ar Marco Polo, meddyliodd Iestyn Llwyd, gan wenu wrtho'i hun. Ac wrth i Dyfan siarad crwydrodd golwg Iestyn Llwyd at y ffenest uwchben y sgwâr, at noethni'r gaeaf a'r pylni y tu allan. Teimlodd fod rhywbeth yn awyrgylch y swyddfa a'i cysurai, rhyw gyfuniad o olau neu wres a gynigiai loches yn erbyn llymder y dydd. A synnodd mor falch roedd o weld Dyfan eto. Ystyriodd grybwyll Simon Lewis wrtho, ond sylweddolodd na fyddai'n gwybod lle i ddechrau.

Yn hytrach, wrth i'r sgwrs droi at Marco Polo, daeth yr awydd dros Iestyn Llwyd i rannu gyda Dyfan ei feddyliau ynglŷn ag ystyr ac angof, ynglŷn â geiriau a hanes a grym yr adroddwr. Ac yn yr eiliadau byr hynny, teimlodd yr angen i ddweud wrtho fod cysur yn y pethau haniaethol hyn, yn eu bodolaeth y tu allan i'r byd du a gwyn yr oedden nhw – Iestyn Llwyd fel Dyfan Edwards – yn byw ynddo. Ond ddaeth y geiriau ddim. A dyn ymarferol oedd Dyfan, ac o fewn dim roedd y cyfle wedi mynd, oherwydd roedd o'n gofyn:

'Faint o amser fydd angen arnat ti?'

Oedodd Iestyn Llwyd. Efallai iddo sylweddoli yn y foment honno na fyddai byth yn gorffen *Marco Polo*, oherwydd dywedodd:

'Mae *Marco Polo* cystal â bod yn fetaffor ar gyfer pob cyfieithu. Gweithgaredd diddiwedd, fel atsain sy byth yn dod i ben.' Symudodd Dyfan ei ben i fyny ac i lawr. Pwysodd Iestyn Llwyd ymlaen ar ei gadair ac meddai, 'Does dim synnwyr yn y peth. Stori dyn ydy hi, yn cael ei hadrodd gan rywun arall ac mewn iaith wahanol. Ti'n gweld, Dyfan? Dwi'n teimlo mai dyna'r oll 'dan ni'n ei wneud. Ailddweud hen stori mewn geiriau newydd.' Pwysodd Iestyn Llwyd ei ddwylo ar ymyl y ddesg. Plethodd Dyfan ei fysedd yntau o dan ei ên. 'Mae hynny'n iawn, am wn i,' aeth Iestyn Llwyd yn ei flaen, 'ond lle mae'r geiriau gwreiddiol? Maen nhw wedi hen ddiflannu. Wedi'u sathru'n ddyfnach ac yn ddyfnach dan haenau o eiriau eraill, wedi'u newid gymaint nes bron inni fedru clywed Marco Polo'n gweiddi, "Oi! Ddudes i 'mo hynny", neu "Nid fanna ddigwyddodd hynna" a "Fel hyn oedd hi go iawn". Dipyn bach fel Hanes ei hun. Hanes cenhedloedd y byd, dwi'n feddwl. Ein hanes ni. Yn nwylo pwy mae'r grym i adrodd hanes rhywun? Pwy sy'n dewis y geiriau?'

Gwenodd Dyfan Edwards. 'Rwyt ti'n iawn, wrth gwrs,' meddai. 'Mae'n lleisiau ni'n cael eu herwgipio. Lleisiau unigolion, pobl, llais cenedl gyfan. Does 'na ddim cyfiawnder, nid pan mae eraill yn adrodd dy hanes di.'

'Ac os ydi hynny'n wir yn achos Marco Polo,' meddai Iestyn Llwyd, 'be am y bobl nad oes gynnon nhw neb i gofnodi eu stori? Be am y rheiny sydd wedi colli'u llais, sydd heb y geiriau i gyfleu eu gwirionedd eu hunain? Y gwir yn erbyn y byd. Ond pa fyd? Gwirionedd pwy?'

Eisteddodd Dyfan Edwards yn ôl yn ei gadair. O'r diwedd dywedodd:

'Dwi erioed wedi dy holi di am y gorffennol. Ddest ti yma, fel taset ti'n chwilio am rywbeth. Nes i gymryd bod

rhywbeth wedi digwydd i ti. Dydy o'n ddim o 'musnes i.'
Oedodd Dyfan, fel petai'n rhoi cyfle iddo ddweud rhywbeth.
Ond dim ond eistedd yno wnaeth Iestyn Llwyd. Felly meddai
Dyfan: 'Gwaith yr awduron, y cofnodwyr a'r haneswyr ydy
rhoi llais i'r rhai sydd heb leisiau. Ond adroddwyr straeon
ydan ninnau hefyd. Ein gwaith ni, fel dwi'n ei gweld hi, ydy
cadw lleisiau'n fyw, troi'r sain yn uwch arnyn nhw fel bod
pobl eraill yn clywed. Falla gyrhaeddan nhw glustiau sy'n
gwrando, pwy a ŵyr.

'A beth bynnag, cyfieithiad ydy pob cyfathrebu.
Cyfieithu gair, golwg, cyffyrddiad rhywun. Dadansoddi. Be'n
union roedd o'n feddwl wrth ddweud hynny? Beth oedd
ystyr yr edrychiad yna? Pan mae merch yn dy gofleidio di,
be mae o'n olygu go iawn? A phan adawodd hi, be oedd y
gwir reswm? Troi arwyddion yn ystyr. Cyfieithu. Does 'na
ddim dianc.' Pwysodd ymlaen gyda'i benelinau ar y ddesg.
'Anifeiliaid ydan ni, sy'n chwilio am ystyr. Ein greddf gyntaf
ydy goroesi. Ond y nesaf ydy deall. Y rhan fwyaf o'r amser
'dan ni'n anghofio hynny, ac fel arfer cam-ddallt pethau ydan
ni. Ond yr ystyr sy'n ein gyrru ni, boed honno'n gywir ai
peidio. 'Dan ni'n gweld arwyddion y byd, ac yn trio'u darllen
nhw, fel eu bod nhw'n gwneud rhyw fath o synnwyr i ni. Mae
bywyd ei hun yn gyfieithiad.'

'Camgyfieithiad ydy bywyd felly,' meddai Iestyn.
'Oherwydd be os ydy'r geiriau'n diflannu? Geiriau ydy
dodrefn ein cof ni. Mewn ystafell wag does yna nunlle i
eistedd, nunlle i hongian dy gôt, dim byd i hoelio dy hun
ato, dim cyfeirnod. Tynna'r geiriau o dafod dyn – tynna'i iaith
oddi wrtho fo – ac mi wyt ti'n ei wneud o'n ddigartref, yn
berson alltud yn ei stafell fyw ei hun. Mae'n crwydro'r tŷ, fel

mae'n cerdded drwy'i atgofion. Ond mae'r tŷ'n wag.'

'Un tro, ddywedaist ti wrtha i fod cyfieithu fel symud dodrefn. A dyna ydan ni, math o symudwyr dodrefn. Yn symud y pethau cyfarwydd, efo'u hatgofion a'u cysylltiadau a'u sglein, o un cartref i'r llall. A ti'n iawn, bob tro mae rhywun yn symud tŷ mae 'na fwrdd yn cael ei adael ar ôl, mae 'na hen lamp yn cael ei thaflu allan ac un newydd yn cymryd ei lle. Ond mae bywyd yn fyr, Iestyn. Y golau sy'n bwysig, nid y lamp. Yn y tŷ newydd, 'dan ni'n eu gosod nhw y gorau gallwn ni, yn yr un modd os yn bosib, ond o dan nenfwd arall, mewn golau gwahanol.'

Roedd Dyfan yn eistedd yn ôl yn ei gadair eto, yn crychu'i dalcen, ei lygaid yn fach. Efallai iddo sylweddoli yn y funud honno ei fod wastad wedi amau ynglŷn ag unigrwydd Iestyn Llwyd, amheuaeth a oedd yn debycach i bryder. Pryder wedi'i anelu ato fo'i hun efallai, oherwydd gwyddai Dyfan Edwards na allai byth ymdopi â'r fath unigedd.

Cododd Dyfan. 'Rhaid imi ddal y cigydd cyn iddo fo gau. Dwi i fod i brynu *pork chops* i swpar.'

Roedd hi'n dywyll y tu allan. Wrth groesi'r sgwâr cofiodd Iestyn Llwyd eiriau Simon Lewis wrth y bont, gan feddwl am lanhawyr ffenestri, am ystolion a bwcedi, a dynion mud yn nisgleirdeb yr haul. Yn y lôn fach wrth ei dŷ edrychodd i fyny ar leuad hanner llawn rhwng y cymylau. Yr holl arwyddion i fyny yn fanna, meddyliodd, goleuadau llachar yn yr awyr, y sêr, y gwynt yn y coed. A holl arwyddion bywyd. Amser, colled, geni, ystyr y pethau sy'n digwydd i ni. Be maen nhw'n ei olygu? Be ydan ni i fod i'w ddeall ohonyn nhw? Dim byd, efallai. Does 'run ystyr i bethau'r byd. Yn y pen draw 'dan ni i gyd ar ein pennau'n hunain. Pob un yn udo i gyfeiriad y sêr, a 'run ohonon ni'n gwybod am be dan ni'n gweiddi na be 'dan ni isio yn y tywyllwch mawr. A hyd yn oed tasen ni, does 'na neb yno i glywed.

15
Geiriau

Yn y dechreuad – sgwennodd Iestyn Llwyd – yr oedd y Gair.
Yn llythrennol. Cyn hynny doedd dim byd. Dim ond tirwedd
o niwl a chreigiau, byd o nentydd ac anwedd a choed.
Roedd yr haul yn mynd a dod ar y gorwel, y sêr yn troi yn
awyr y nos. Ond roedd y ffigyrau a groesai'r tir yn gwylio'r
dirwedd fel mae anifeiliaid yn ei wneud, heb eiriau.
Oherwydd doedd gan hyn oll – y machlud, synau dŵr a'r
gwynt, amlinell praidd ar y bryn – ddim enw. Eu henwau
oedd olion eu traed yn y llwch, amlinell eu cyrn yn erbyn yr
awyr, eu galwad ar yddfau pobl. Tirwedd wag cyn bodolaeth
geiriau. Ac felly, ein meddyliau hefyd.

Tan ddyfodiad iaith.

Mae geiriau fel cerrig. Gellir eu gosod ar y ddaear o'n
blaenau a'u trefnu, gan ddangos y berthynas rhyngddyn
nhw. Gydag iaith, gyda geiriau, darganfu dynol-ryw sut i
grybwyll pethau absennol, afon yr yfwyd ohoni llynedd, mwg
ddoe a welwyd ar y gorwel. Gydag iaith lluoswyd y byd, ac
agorwyd drysau lle ac amser. Diflannodd pylni'r wawr gan
ddod â ffurf i bethau; caledodd y llaid i fod yn sylwedd a
chlai yn ein meddyliau.

Dyna weithred Adda yn yr ardd. Dyna wir stori'r Creu. Y
sarff sy'n cael y sylw. Y noethni, a'r afal yn y llaw. Ond roedd
y newid mawr eisoes wedi digwydd cyn cnoi'r afal. Daeth

hwnnw wrth i Adda grwydro'r ardd gan grogi labeli am y blodau ac am yddfau'r anifeiliaid a'r adar yn y coed. Fyddai pethau byth yr un fath eto. Wrth enwi'r creaduriaid yng Ngardd Eden, nid cyflawni gorchymyn Duw roedd Adda'n ei wneud, ond gwneud ei hun yn dduw. Oherwydd dim ond duwiau all siarad. Dameg ydy'r stori. Metaffor ar gyfer dyfodiad iaith, ar gyfer geni ymwybyddiaeth dynol-ryw. Roedd yr hynafiaid yn adnabod grym iaith. Adeiladon nhw fytholeg gyfan arni.

Yn y dechreuad yr oedd y gair.

* * *

Canodd y ffôn un bore ac atebodd Iestyn Llwyd i glywed llais merch yn dweud ei bod yn chwilio am gyfieithydd.

'*Iestyn Llwyd, yes?*' meddai. 'Mr Edwards awgrymodd fy mod i'n cysylltu efo chi,' meddai'r ddynes yn Saesneg. 'Fisoedd yn ôl bellach. Roedd o'n mynd i ffwrdd, i Ganada dwi'n meddwl.'

'Ac mi ddywedodd wrthoch chi am fy ffonio i?'

'Do. Roedd o am sôn wrthoch chi cyn gadael. Mae'n ddrwg gen i, dwi wedi bod mor brysur...'

Ddywedodd Iestyn Llwyd ddim byd. Doedd y newyddion ddim yn syndod iddo bellach, ac o'r diwedd meddai:

'Mae'n ddrwg gen i. Dydy hwn ddim yn amser da, mae gen i job fawr i'w gwneud. Ga' i'ch ffonio chi'n ôl?'

'Pryd?'

'Yn fuan. Diolch.'

Mae'n anodd dweud ai rŵan, wrth roi'r ffôn i lawr, y

deallodd Iestyn Llwyd iddo synhwyro o'r dechrau un, efallai ers y diwrnod hwnnw wrth y bont, mai chwilio amdano fo roedd Simon Lewis, a neb arall. Treuliodd y darganfyddiad, nes i'w sylw ddychwelyd i'r fflat, at ddistawrwydd ei anadl ei hun a'r llwch.

Drannoeth wnaeth o ddim byd. Aeth o ddim i nunlle, na siarad â neb. Ar y trydydd dydd, diwrnod Nadolig, gwisgodd Iestyn Llwyd ei gôt a cherdded i gyfeiriad fflat Simon Lewis. Ond pan drodd y gornel at yr afon gwelodd rywun tebyg iawn iddo – ei osgo oedd yn gyfarwydd, meddyliodd wedyn, heb gofio nad oedd o wedi'i weld yn cerdded o'r blaen – yn croesi'r ffordd ac yn neidio i gar. Gwyliodd Iestyn Llwyd o gil ei lygad wrth i'r car fynd heibio cyn ei weld yn troi ar ben y stryd. Cyrhaeddodd Iestyn Llwyd y sgwâr mewn pryd i weld Simon Lewis yn diflannu drwy ddrws siop. Yn gyflym teimlodd oriad ei gar ym mhoced ei gôt, amcangyfrifodd yr amser oedd ganddo, yna brysiodd at ei gar ei hun, taniodd yr injan a gyrru'n ôl at y sgwâr. Gwelodd â rhyddhad fod Simon Lewis yn eistedd yn ei gar, o flaen y swyddfa, gan syllu o'i flaen. Fel petai'n aros amdano, meddyliodd Iestyn Llwyd, ond nid tan yn ddiweddarach. Felly gwyliodd wrth i Simon Lewis droi i'r ffordd, arhosodd ychydig eiliadau, yna dilynodd.

Roedden nhw'n gadael y dref. Dilynodd Simon Lewis yr afon, ac edrychodd Iestyn Llwyd arni wrth iddi ledu, ac ar y dyffryn oedd yn glir a distaw ac yn wag fel yr awyr uwchben. Ugain munud yn ddiweddarach daeth y môr i'r golwg o'u blaenau, yn glytiau o oleuni a chysgodion symudol o dan awyr faith. Stopiodd Simon Lewis ar stryd anial. Arafodd Iestyn Llwyd a pharcio ymhellach ymlaen. Gwyliodd Iestyn

Llwyd yn ei ddrych wrth i'r llall gamu o'i gar, yna dringodd yntau allan a'i ddilyn.

Daeth yn bur amlwg ar unwaith nad oedd fawr o nod gan Simon Lewis. Cerddodd ar hyd y stryd fawr gan oedi o flaen ambell ffenest siop. Yn nes ymlaen trodd am y prom. Ac o bellter, gwyliodd Iestyn Llwyd tra safai yno, o flaen môr llonydd, llwyd. Gwyliodd wrth iddo fentro, ei ddwylo yn ei bocedi, at y cerrig rhwng y tarmac a'r tywod lleidiog roedd y llanw wedi'i adael ar ôl. Edrychai Simon Lewis allan ac am i fyny, a dilynodd Iestyn Llwyd ei olwg, nes bod y ddau rŵan yn gwylio'r awyr, y gwylanod yn disgyn a chodi ar yr awel, y bae agored a'r prynhawn yn araf sugno'r golau rhwng y ddau benrhyn du. Aeth teulu heibio, bachgen ar feic newydd, ei goesau bychain yn troi'n wyllt wrth yrru'r pedalau. Cerddodd Simon Lewis ymlaen gan oedi bob hyn a hyn i edrych o'i gwmpas, ar y traeth ac i fyny tua'r penrhyn mawr, ac ar flaenau'r gwestai a wynebai'r môr. Daeth y cyfnos â goleuadau llong i'r amlwg ychydig dan y gorwel, a syllodd y ddau ddyn arni am amser. Yna trodd Simon Lewis a cherddded i gyfeiriad y car.

Ond oedodd Iestyn Llwyd ar y traeth, fel petai'n methu troi ei gefn ar y môr. Yng ngolau min nos roedd sŵn y lli'n gryfach, yn ei dynnu allan rywsut, i'r tonnau, at fyd o forwyr a rhwydi, at gân pysgotwyr ar y môr gwag. O'r diwedd trodd, gan weld ffigwr y llall yn troi'r gornel ymhell o'i flaen. Ar wahân i gwpl, law yn llaw, doedd yna neb arall o gwmpas, neb i sylwi ar y ddau grwydryn Nadoligaidd unig. Cyflymodd Iestyn Llwyd ei gamau, nes ei fod yn sicr y gallai Simon Lewis eu clywed y tu ôl iddo. Arafodd hwnnw wrth ddrws ei gar, a cherddodd Iestyn Llwyd heibio iddo; bu bron iddo daro'i ysgwydd wrth basio. Ond siaradodd neb air yn y tywyllwch cynyddol.

* * *

Ddiwrnod San Steffan, wrth gofio lle parciodd Simon Lewis y diwrnod blaenorol, aeth Iestyn Llwyd heibio'r swyddfa, agorodd y drws a gweld amlen ar y llawr. *At sylw I. Llwyd, Personol a Chyfrinachol*. Plygodd, rhoddodd yr amlen dan ei gesail, caeodd ddrws y swyddfa ac aeth adref. Yn y fflat taniodd y cyfrifiadur, tynnodd ei gôt, ac ar dudalen newydd cyfieithodd:

Welais i fawr ddim o neb y gwanwyn hwnnw.

Daeth y golau yn ei ôl, gan ysgafnhau'r awyr uwchben. Gwnâi'r Tsieineaid yn y parc ar y Rue de Bretagne eu hymarferion ben bore i gân yr adar, ac roedd y coed, gyda'r awgrym cyntaf o flagur, wedi ymestyn eu canghennau fel petai'r gwanwyn yn gwthio'r giatiau a'r tarmac yn ôl, nes bod y parc ei hun yn ymddangos yn fwy. Daeth y nosweithiau'n hirach, gan wasgaru lliw dros undonedd y strydoedd a dod â phawb allan eto, o'u tai ac o'u cotiau. Felly des innau'n ôl hefyd, i'r Cactus, oedd erbyn hyn yn gartref i mi, ac un noson tarais ar Stéphane. Roedd efo dyn o'r enw Loïc a oedd yn gwneud pethau anhygoel efo dail aur mewn stiwdio ar y Rue du Télégraphe. Prynodd Loïc ddiod i mi cyn gadael gyda gwahoddiad imi alw heibio'i stiwdio. Dyna pryd ddywedodd Stéphane fod ganddo ddau ddarn o newyddion i mi. Yn gyntaf, roedd Joni a fo am fynd i Menton dros yr haf.

'*Tu veux venir avec nous?*'

Roedd y cynnig fel rhoi darn o haul yn fy llaw, felly dywedais ia.

'Ond sut mae Joni?'

Roedd Stéphane yn yfed gwin gwyn efo mefusen ynddo. '*Il m'inquiète un peu*,' meddai. Roedd o wedi taro arno ar y stryd un noson. Doedd 'na ddim golwg dda iawn arno fo, meddai, roedd o'n denau, yn siarad yn ddigyswllt, ac nid dim ond y ddiod oedd ar fai chwaith.

Roeddwn innau'n poeni amdano hefyd. Ond yna rhannodd Stéphane yr ail newydd efo fi. Roedd Anna yn ei hôl.

'*À Paris?*' gofynnais yn syn.

'*Oui*,' meddai Stéphane. Gwagiodd ei wydr gan lyncu'r fefusen. Ac ar ôl gofyn i Catherine am un arall, ychwanegodd, '*À Rue Mandar.*'

* * *

Rue Montorgueil – sgwennodd Iestyn Llwyd, gyda'r map wedi'i ledaenu wrth ei ymyl – yn gaffis a siopau a stondinau ar y pafin. Mae Rue Mandar ar y chwith wrth gerdded o gyfeiriad Saint-Eustache. Stryd ddistaw – sgwennodd ymhellach, gwybodaeth nad oedd i'w chael o'r map – wyneb gwyn budr yr adeiladau, y math o stryd, petai rhywun yn eistedd wrth ffenest agored uwchben, y byddai synau yn codi oddi arni. Lleisiau achlysurol. Neu olwynion beic yn mynd heibio ar y coblau islaw, un gyda'r nos o haf.

* * *

Ond nid Anna es i i'w gweld – cyfieithodd Iestyn Llwyd – ond Joni. Drwy'r ffenest gallwn weld ei ben uwchben cefn y gadair. Gwaeddais o'r stryd, ond chlywodd o ddim, felly es i mewn a chanu'r gloch.

Gwenodd wrth fy ngweld i, ac estyn ei law, yna trodd er mwyn imi ei ddilyn i mewn. Roedd poteli gwag dros y lle, bocsys bwyd o'r lle Fietnamaidd ar y gornel, ac roedd y sinc yn llawn dysglau budr. Roedd y lle'n bentyrrau isel o lyfrau, a'r byrddau'n fôr o bapurau.

'Sut mae'n mynd?' gofynnais.

'Mae 'di bod yn sbel,' meddai, gan ddisgyn i'r soffa. Roedd ei wallt yn hirach, roedd o'n sicr yn deneuach, a doedd dim amheuaeth erbyn hyn ei fod yn tyfu barf. Gofynnodd a oeddwn i isio coffi. Iawn, medda fi, a thra oedd o yn y gegin edrychais o gwmpas ar y llyfrau. Athroniaeth Tsieinïaidd, stwff am gyffuriau a'r meddwl, llawer o lyfrau ynglŷn ag iaith. Ar fraich y soffa roedd hen gopi Edward o *On the Origin of Species*. Eisteddais a'i agor. Roedd hen docyn sinema'n nodi'r dudalen: diwedd y bennod 'Struggle for Existence'. Darllenais ychydig tra oedd Joni yn y gegin:

All that we can do, is to keep steadily in mind that each organic being... at some period of its life... has to struggle for life, and has to suffer great destruction.

Daeth Joni â dwy gwpan at y bwrdd gan chwilio am le gwag i'w gosod. Symudais bentwr o lyfrau.

'Jest rho nhw ar y llawr,' meddai wrth droi'n ôl am y gegin. Mi ddes i o hyd i le rhydd wrth flwch llwch oedd yn orlawn o stympiau smôcs.

When we reflect on this struggle, we may console

ourselves with the full belief, that the war of nature is not incessant... and that the vigorous, the healthy, and the happy survive and multiply.

Daeth Joni yn ei ôl efo'r pot coffi.

'*Shit*, y siwgr,' meddai.

'O'n i'n clywed bod Anna'n ôl,' gwaeddais tua'r gegin.

'Ydy!' daeth yr ymateb. Roedd o'n sefyll yn y bwlch a arweiniai at y gegin. Roedd yn gwenu.

'Da iawn,' medda fi, gan wylio'i gefn. Yna gofynnais, 'Sut wyt ti 'ta?'

Daeth Joni yn ei ôl gyda bocs o siwgr yn ei law ac eistedd i lawr o'r diwedd.

'Mae'n rhy fuan i ddeud,' meddai'n amwys, gan wenu wrth danio smôc.

'Ti'n brysur beth bynnag,' medda fi, gan edrych o amgylch y lle ac ar y llyfr yn fy llaw wrth ei roi ar fy nglin. Yna tolltais goffi i'r ddau ohonon ni a rhoi dau lwmp ym mhob un. 'Wyt ti'n sgwennu?' gofynnais, wrth osod y gwpan ar ymyl y gadair.

'Fedra i ddim.'

'Ti'n dal yn sownd efo'r dechrau?'

'Mae'n dechrau efo rhywun sy'n dod yn ei ôl ar ôl amser hir,' meddai, 'mae'n camu oddi ar y trên, mae o'n chwilio am rywbeth, ond dydy o ddim yn cofio pwy na be. O ia, ac mae 'na gyfieithydd.'

'Cyfieithydd?' medda fi. Ac wrth imi ddweud hyn, llithrodd fy nghwpan nes i'r coffi ddisgyn dros fy nhrowsus. 'Ffycin hel!' gwaeddais. 'Shit, mae o 'di mynd dros y llyfr.' Roedd ymyl y dudalen agored yn wlyb a'r tocyn sinema'n frown.

'Paid â phoeni,' meddai Joni.

'Llyfr Edward ydy o?' medda fi.

'Fydd o'm yn cofio 'i fod o gen i.'

Rhoddais y llyfr yn agored ar y bwrdd bach, yna eisteddais a thollti mwy o goffi. Pasiodd Joni'r smôc i mi.

'Sôn am gofio,' meddai ar ôl ychydig, 'ti erioed 'di meddwl... mewn rhai ieithoedd, colli dy feddwl neu dy ben wyt ti, ond yn Gymraeg colli dy go' wyt ti. Mynd tu allan i dy go'.'

Edrychais arno gan gymryd llymaid.

'Dyna wyt ti'n neud?' gofynnais. 'Colli arni?'

Meddai yntau, 'Ond mae'n gwneud synnwyr, dydy? Darnau cyfan o fywyd yn disgyn i ffwrdd a diflannu. Ac mae'n wir. *Mae* dyn sydd wedi anghofio'i orffennol yn wallgo. Mae o'n llong heb angor, does 'na ddim byd i'w glymu fo i lawr. Does 'na ddim callineb heb go'.'

'Ond dwyt ti ddim wedi cyrraedd y pwynt yna eto, nagwyt?' gofynnais gan ysgwyd fy mhen.

'Naddo. Ond dwi'n trio.'

Dwi ddim yn sicr pam, ond yn sydyn dyma fi'n chwerthin. Ac yna chwarddodd Joni hefyd, chwarddiad sydyn, fel peswch. Yna rhoddais innau chwarddiad arall, yn uwch na ro'n i wedi'i fwriadu. Ac yna dechreuodd Joni chwerthin hefyd, chwerthin go iawn, gyda'i lygaid yn loyw a'i wyneb yn agored, finnau'n llipa ar y soffa ac yntau'n curo'i bengliniau, nes yn y diwedd roedd ei ben o'n pwyso'n ôl, ei lygaid ar gau a'n chwerthin ni'n dau'n codi ac yn taro oddi ar y nenfwd.

'Mam bach,' meddai o'r diwedd, 'ro'n i angen hynna.'

Ar ôl inni dawelu, dywedais, 'Wyt ti'n mynd i le Stéphane felly?'

'Colli'r cyfle i fwyta sgwid ac yfed Pastis wrth y môr? Be ti'n feddwl?'

Felly gadewais, gan dybio mai wedi cael pwl o iselder roedd Joni, ond rŵan bod yr haf yn tywynnu drwy ffenestri ei fflat a'r awel yn chwythu'r llenni, rŵan bod Anna'n ei hôl, roedd o'n barod i ddringo o'i gragen, yn barod i adael ei gastell. Dim byd na fyddai persawr lafant a heli a heulwen ar ei groen ddim yn ei drwsio.

Felly es i ddim i chwilio am Anna. O fewn dyddiau roedden ni ar ein ffordd, yn gadael cyrion Paris gyda cherddoriaeth Stéphane yn chwarae ac yntau wrth y llyw yn canu nerth ei ben, y ffenestri ar agor a'r wlad wastad yn ymestyn o'n cwmpas ni, haul y de'n ein hudo o'r tywyllwch, yn ein galw o ddinas y gaeaf ac i lawr i dref fach Menton ac i freichiau agored y môr. Ac o'r sedd gefn gwelais fod Joni'n curo'i fysedd i dôn y caneuon. A gwenais wrth weld ei wyneb yn y drych, oherwydd roedd yntau hefyd yn gwenu.

16

Y Môr

Daw delweddau o'r haf hwnnw yn ôl ata i – cyfieithodd Iestyn Llwyd – gyda'i chwa sydyn o rosmari, sŵn y cadeiriau'n cael eu trefnu o flaen y caffi gyferbyn yn fy neffro ben bore drwy ffenest agored ein stafell wely, pwysau gwyn yr haul a phresenoldeb tragwyddol y môr. Maen nhw yno, yn yr atgof o lwch gwyn ar fy nhraed, yn nistawrwydd crimp cefn gwlad y Canoldir, yn llonyddwch y ffyrdd ganol nos lle camon ni o'r car i wylio glesni'r gwrychoedd a phorffor yr olewydd yn ymestyn o'n hamgylch ni dan y lloer.

Roedd tŷ teulu Stéphane ar allt, ar un o'r strydoedd igam-ogam sy'n troelli ar hyd llethrau Menton o'r harbwr bach hyd at y fynwent ar y bryn. Roedd o eisoes yn dŷ llawn atgofion cyn inni'i gyrraedd. Oherwydd ar y ffordd i lawr adroddodd Stéphane wrthon ni, fel llun a dynnai ar ganfas ei blentyndod, am gychod a rhwydi, am alwadau pysgotwyr gyda'r wawr ac atgof pell o ddwylo lledr ei daid. Erbyn inni gael y cip cyntaf o Fôr y Canoldir felly, roedd Joni a fi eisoes yn clywed arogl cregyn gleision, a sŵn pŵl sgwid yn cael ei daro ar graig, bron na allen ni deimlo'n hunain yn llithro i ddyfnder llachar y môr. Twchu wnaeth yr atgofion wrth inni gamu i gysgodion y tŷ.

Roedd Joni a mi i rannu stafell, gyda Stéphane yn cymryd hen ystafell ei nain a'i daid. Roedd pob man yn hen ddodrefn a theils ac addurniadau o oes arall. Rhedai cyntedd hir o'r drws blaen, heibio i'r ystafelloedd eraill ac at y gegin fach ym mhen pellaf y tŷ. Ond doedd Joni ddim hyd yn oed wedi gollwng ei fag cyn ei fod o'n sefyllian yn y tywyllwch gan graffu ar y waliau. Ddes i'n ôl o'n stafell ni, a gwneud yr un fath. Yn yr hanner golau a dreiddiai i'r tŷ wrth i Stéphane fynd o stafell i stafell yn codi'r bleinds, gwelais y ffigyrau'n ymffurfio ar y waliau, a daeth mur o luniau i'r golwg. Rhai du a gwyn o ddynion gyda mwstásh a choleri wedi'u startsio, o ferched yn eistedd mewn stiwdio gyda'r Alpau neu balmwydden mewn pot yn gefndir iddyn nhw, teuluoedd cyfan di-wên yn syllu allan drwy'r gwydr. A lluniau diweddarach, eu lliwiau llwydaidd yn datgelu agweddau llai ffurfiol oes wahanol: dyn mewn het yn pwyso yn erbyn ei gar, merch ifanc yn gwenu wrth reilings uwchben y môr, plant mewn trowsusau byr a sgertiau hafaidd yn sefyll mewn cae wrth weddillion picnic, yn chwarae ar draeth, neu o flaen y tŷ hwn.

'*Ça c'est moi*,' meddai Stéphane o'r tu ôl i ni, gan bwyntio at fachgen yn eistedd ar dractor efo hen ŵr. '*Et ça c'est mon grand-père.*' Edrychais ar Stéphane y bachgen, ac ar ei daid oedd ag un fraich yn pwyso ar ei glun a'r llall yn barod i ddal y bychan petai'n llithro.

Yn ystod y dyddiau a'r wythnosau a ddilynodd mi ddes i'n gyfarwydd â'r lluniau. Ceisiais gysylltu perthnasau a dyfalu'r tebygrwydd rhwng wynebau. Ac yn anochel, meddyliais am eu diflaniad, am eu hamser nad oedd mwyach. Synnais at edrychiad arbennig, at linell syth o gysgod, y blodau acw yn y cefndir, haul isel y prynhawn arbennig hwnnw a ddaeth unwaith a byth eto. Oedais yn hir yn y coridor hwnnw, oedd yn dywyll gyda brodwaith a derw, yno rhwng y dail a'r llwch, yr oriel o ffigyrau anhysbys oedd yn dyst i achau Stéphane.

Ond yn gefndir i'r llonyddwch a'r tŷ, yn ogystal â'n crwydro tawel yn y cysgodion, roedd yr haul a dywynnai bob dydd. A'r môr, yn wely eang yn ymestyn tua'r gorwel, yn hollbresennol naill ai ar ein crwyn neu yn ein clustiau, yn anwesu'n synhwyrau a golchi'n addfwyn dros brynhawniau ein hieuenctid.

Roedd y lle fel petai'n gysur i Joni. Yfai lai, a thoddodd yr oerni a'r pryder oddi arno, wedi'u chwalu rywfaint gan donnau'r môr, gan yr heulwen ac awel sych y de. Dwi'n credu i Joni, fel finnau, ddarganfod am y tro cyntaf fod hapusrwydd i'w gael yng nghyffyrddiad syml y môr am dy sgwyddau, mewn plicio ffigys yng nghysgod coeden, cysgu i guriad y sicadas mewn cae, ac mewn gwylio madfall ar wal garreg. A thrwy hyn oll ymfalchïai Stéphane yn ei gynefin, gan wneud y gymwynas orau y gall unrhyw un ei gwneud â'i ffrindiau, sef eu gwneud yn rhan o'i gartref. A hoffwn i feddwl, wrth grwydro'n fodlon i 'ngwely bob nos, y byddai'r bobl hynny ar y wal yn y cyntedd yn falch, rywsut, o'u disgynnydd a aeth i Baris bell; ei fod wedi cadw'r hen le a thywys eraill yno i'w rannu.

Ac felly mi orweddon ni, mi gerddon ni ac mi nofion ni'n ffordd drwy'r haf. Roedd Stéphane yn ei elfen, a Joni wedi colli'r egni aflonydd hwnnw oedd ganddo yn y gaeaf, fel petai'n fersiwn dawelach ohono fo'i hun. Un diwrnod, ychydig cyn inni adael, â Stéphane ar ddyletswydd deuluol, dywedodd Joni ei fod am fynd am dro. Gofynnais a gawn i ddod hefyd, a dywedodd iawn, ond roedd yn rhaid iddo fynd i brynu llyfr nodiadau'n gyntaf. Felly es i efo fo i'r siop, a'i ddilyn i mewn gan edrych ar y cloriau a'r detholiad o binnau sgwennu, ac anadlu'r arogl hwnnw sy'n perthyn i bapur ac inc. Dewisiodd Joni lyfryn mewn clawr lledr. Y tu allan gofynnais:

'Ti'n barod i sgwennu rŵan?'

'Os daw'r stori, fydda i'n barod amdani,' meddai. 'Ein stori ni. Ti a fi a Stéphane a phawb.'

'A pha un ohonon ni sy'n colli ei gof?'

'Pob un ohonan ni. Jest sbia o gwmpas. Mae 'na ddarnau o atgofion dros y lle i gyd.'

Dyna pryd y penderfynon ni ddringo'r allt un tro olaf at y fynwent ar y bryn, gan wau i mewn ac allan o'r cysgodion yn nhawelwch y bore, y naill a'r llall yn ei fyd ei hun, gan oedi yma ac acw i edrych o sgwâr eglwys neu rhwng talcenni'r tai ar y môr islaw. Wrth i'r tai gilio ac i ninnau gamu i'r haul, oedodd y ddau ohonon ni – Joni ychydig y tu ôl i mi – heb ddweud gair, gan edrych i lawr ar y bae, ar y traeth lle treulion ni'n dyddiau a'r sgwâr lle buon ni'n yfed, ac ar wastadedd y môr. Wrth giatiau'r fynwent aethon ni'n ffyrdd ein hunain. Crwydrais yn araf yng nghysgod y coed. Gwrandewais ar lonyddwch y tyfiant crin a churo diddiwedd y sicada, ac oedais i ddarllen yr enwau ar y cerrig beddau. Wrth droi cornel gwelais Joni ar fainc yn y cysgod wrth ymyl llannerch o raean llachar. Es i eistedd ato fo. Roedd o'n pwyso'i ddwy benelin ar ei bengliniau gan wylio rhes o forgrug a redai dros y graean wrth ei draed. Eisteddais wrth ei ymyl ac edrych ar y beddau.

'Yn ôl i Baris, felly,' medda fi.

'Neu rywle arall,' meddai Joni.

'Ti'n meddwl symud? Chwilio am dir yr addewid?'

Ddywedodd Joni ddim byd am ychydig. Edrychais i lawr ar y morgrug, a gweld bod rhai ohonyn nhw'n dringo dros esgid Joni. Ond doedd o'n cymryd dim sylw ohonyn nhw rŵan. Roedd o wedi codi'i ben at yr heulwen rhwng y dail. Meddai:

'Tir yr addewid?' Chwarddodd gyda'i lygaid ar gau yn yr heulwen. 'Dim ond geiriau. 'Dan ni'n deud pethau fel "mae'r haul yn symud yn yr awyr". Ond pam na allwn ni ddweud y gwir? Mai'r bryn sy'n codi o flaen yr haul. Neu ddweud rhywbeth fel, "Yli sut mae echel y byd yn ein troi ni i gyfeiriad y nos". Ond fedrwn ni ddim hyd yn oed dygymod â'r gwir ynglŷn â'r haul, a hwnnw yno i bawb ei weld. Felly sut fedrwn ni siarad y gwir amdanon ni'n hunain?'

'Falla fod 'na rai pethau 'dan ni ddim i fod i siarad amdanyn nhw,' dywedais. 'Fel deud enw Duw. Neu fel yn straeon y tylwyth teg,' dywedais. 'Y dyn sy'n cysgu wrth y nant a'r tylwyth teg yn dangos trysor iddo fo, ac yntau'n rhedeg am y pentref i ddweud wrth bawb, ond pan maen nhw'n mynd yn ôl yno does 'na ddim nant na thylwyth teg na thrysor. Mae'r boi wedi chwalu'r hud drwy ddweud wrth bawb. Dyna ydy neges y straeon yna, 'de? Mae rhai pethau'n sanctaidd ond pan fyddi di'n dechrau siarad amdanyn nhw, y munud rhoddi di enw iddyn nhw, mi wyt ti'n chwalu'r swyn. Ac mae'r teimlad, y gwir beth ei hun, yn diflannu. A chei di byth mohono fo'n ôl.'

Am eiliad, ges i'r syniad fod yr araith fer hon wedi dod o nunlle. A dwi'n cofio'r teimlad, un anghywir mae'n siŵr, mai dyna un o'r troeon cyntaf i mi rannu syniad o'm heiddo fy hun efo Joni. Ond yna dechreuodd Joni wenu, ac roedd rhywbeth yn y wên yn dweud ei fod o'n gwybod, ac yn sydyn ro'n innau'n gwybod hefyd. Gwybod nad fy syniad i oedd hwnnw o gwbl, 'mod i wedi'i glywed o gan rywun arall, ac mai gan Anna roedd hynny. Ac ro'n i'n gwybod bod Joni wedi'i glywed o hefyd. Es i'n ddistaw. Trodd Joni i edrych ar y morgrug yn rhedeg dros ei esgid, heb symud ei droed. Yna meddai'n araf:

'Yn ôl i Baris. Yn yr Andes mae 'na bobl o'r enw yr Aymara, ac yn eu ffordd nhw o feddwl mae'r gorffennol o'u blaenau nhw. Y dyfodol sydd y tu ôl iddyn nhw. Pan maen nhw'n cyfeirio at fory maen nhw'n pwyntio dros eu sgwyddau. A nhw sy'n iawn. Achos, os meddyli di am y peth, fedrwn ni ddim gweld y dyfodol. Mae o o'r golwg, wedi'i guddio oddi wrthon ni. Ond mae'r gorffennol yno i'w weld, yn ein pennau ni, yn ein cof ni, wedi'i ledaenu o'n blaenau ni fel gofod na fedrwn ni gamu i mewn iddo fo, wedi'i boblogi gan ffigyrau na fedrwn ni 'mo'u cyrraedd.'

'Mae tir yr addewid y tu ôl i ni felly.'

Gwenodd Joni wrth edrych arna i. 'Mae o'n agosach na hynny,' meddai. 'Mae o efo ni drwy'r amser. 'Dan ni'n ei gario fo efo ni.' Yna cododd ei fynegfys at ei dalcen. 'Yma, yn ein pennau. Mae jest angen inni gamu i mewn iddo fo.'

Ac ochneidiodd Joni'n ddwfn. Dwi'n dal i glywed yr ochenaid honno. Ddylwn i fod wedi sylweddoli bryd hynny fod Joni'n paratoi i fynd i rywle, yn paratoi ar gyfer taith a fyddai'n ei gario oddi wrthon ni. Edrychodd unwaith yn rhagor ar ei draed ac ar y morgrug oedd yn drwchus dros un esgid, ac yn dechrau dringo dros y llall. Wnaeth o ddim eu hysgwyd nhw ymaith, dim ond codi a chamu drostyn nhw, a'u cario efo fo wrth fynd i sefyll yng nghanol y llannerch.

Yna lledaenodd ei freichiau, a gwenu, a chodi'i ben at y pelydrau o heulwen a dreiddiai drwy'r canghennau uwchben, a chau ei lygaid. Arhosodd felly am amser hir. Yn gwenu'r holl amser.

A dyna'r ddelwedd sy'n aros gryfaf efo fi, pan fydda i'n meddwl yn ôl at yr haf hwnnw. Pan fydda i'n meddwl yn ôl am Joni Zlatko. Fo'n sefyll yn y fynwent, uwchben y môr glas, mewn cylch o heulwen wedi'i hidlo gan y coed cypres, y gwres yn gwasgu'r arogl cerrig a phin, ac yntau â'i ben wedi'i godi at yr awyr gyda'i lygaid ar gau. Yn gwrando ar sŵn y prynhawn. Nid yn unig sŵn y prynhawn hwnnw, ond pob prynhawn. Bydysawd cyfan o ddyddiau, ysgwydd wrth ysgwydd rhwng y meini. Mae'n rhaid iti fod wedi camu oddi ar y llwybr i glywed hynny.

Agorodd ei lygaid tua'r awyr. 'Ty'd,' meddai, heb edrych arna i. 'Awn ni'n ôl?'

Felly codais innau hefyd oddi ar y fainc. Edrychais ar y beddau, ar gysgodion y canghennau'n nofio dros yr enwau, a theimlais awel fach yn chwythu rhwng y cerrig. Roedd Joni eisoes ar ei ffordd. Felly dilynais o, gan droi fy sgwyddau ar fy nyfodol a cherdded drwy giatiau'r fynwent, allan ar hyd y ffordd lychlyd yn yr haul a godai'n uwch, i lawr am yr harbwr a'r bae. Yn ôl at ein hieuenctid oedd yn dal i ddisgwyl amdanon ni, yn union fel y môr islaw, nes ein bod ni'n gallu gweld y plant yn codi o'r dŵr, eu crwyn yn disgleirio yn yr haul.

Ar y bwrdd, wrth ymyl y cyfrifiadur, roedd llyfr nodiadau Iestyn Llwyd. Syllodd arno rŵan, fel petai'n wrthrych dieithr. Yna, yn araf ond yn anochel, estynnodd amdano a'i droi rhwng ei ddwylo, fel syniad newydd roedd yn ansicr ohono. Rhedodd ei gledrau dros y clawr, a'i fysedd am y llinyn lledr, gan eu teimlo'n llifo a disgyn dros ei groen, fel dŵr. Caeodd ei lygaid, ac wrth gerdded ar hyd traethau'r blynyddoedd, chwiliodd am dref ar lan y môr. Chwilio am heulwen, ac oerni'r cysgod wrth i gloch siop ganu. Daliodd Iestyn Llwyd ei wynt.

Y noson olaf honno – darllen oedd y cyfieithydd rŵan – pwysai geiriau Joni yn y fynwent yn drwm arna i. Yn nistawrwydd y lolfa, yn fy hoff gadair freichiau newydd, crwydrodd fy meddwl i'r cyntedd, at dywyllwch y coridor a'r wynebau ar y wal. A meddyliais fel roedden ninnau hefyd yn araf gamu i barth y lluniau pŵl hynny. Roedden ni – Joni, Stéphane a fi – yn araf basio i'w byd llonydd nhw, ein ffurfiau, fel ein geiriau o'u blaenau nhw, eisoes yn troi'n aer yng ngolau'r gyda'r nos, yn nofio a sleifio i'r tywyllwch, allan i'r oriel honno o gyndadau a'r coridor o sgyrsiau angof. Yn y tŷ hwn, cyn hir, byddai dirgryniad yr awyr a fu gynt yn lleisiau i ni, ynghyd â chysgodion ein hystumiau ac atsain ein meddyliau, yn pylu a diflannu yn union fel y bu i rai'r rheiny ar y wal wneud, delweddau'n edwino mewn golau a llwch.

Y bore wedyn, ar ôl cau'r bleinds a chloi'r drws, dringodd Joni i'r sedd gefn ac yno yr arhosodd yr holl ffordd, er imi gynnig newid yn Mâcon pan stopion ni am ginio. Roedd o'n ddistaw, a smociodd ar hyd y daith, gan gymryd llymaid bob hyn a hyn o'r botel win a agorodd ym Menton. Ambell dro cefais gip ohono yn y drych, yn syllu drwy'r ffenest. A meddyliais mai'r symud hwn oedd gwir gyflwr Joni. A falla 'i fod o'n iawn. Symud ydy cyflwr naturiol dynol-ryw, a'i chynefin ydy'r ffordd.

Meddyliais hefyd, wrth inni groesi gwastadeddau gogledd Ffrainc, am y gorffennol ac am y tŷ roedden ni wedi'i adael ar ôl, am olion ein dwylo ar ei ffenestri ac olion ein traed ar y traeth. O'n blaenau ni roedd Paris, yn aros amdanon ni fel cae pell, tir anhysbys dros y gorwel. Ystyriais ai hynny oedd ar feddwl Joni hefyd; ai realiti'r ddinas a'r gaeaf a'i gadwyni oedd yn aros amdanom oedd y tu ôl i'r distawrwydd a'r gwin. Doedd dim modd gwybod. Yng nghanol y tirlun cyflym roedd Joni, wedi ymgolli ym murmur y modur a atseiniai ganu anghyson Stéphane, fel tiwn gyntefig.

Roedden ni wedi dilyn y ffyrdd bychain ac roedd hi'n dywyll pan gyrhaeddon ni gyrion Paris. O Porte d'Italie ymlaen ddywedodd neb air. Wrth le Joni awgrymon ni gael un ddiod olaf i ffarwelio â'r haf.

'Dim diolch,' meddai, a rhoi llaw ar ysgwydd y ddau ohonon ni. Yna dringodd allan. 'Diolch am amser gwych,' meddai, wrth blygu at ffenest Stéphane i edrych i mewn arnon ni. 'Wela i chi'n fuan.'

Mi wylion ni o'n cerdded at ei gastell dros ei ddyfrffos.

'Ça va, Joni?' meddai Stéphane.

'Je sais pas,' atebais innau.

Oedodd Iestyn Llwyd eto. Crwydrodd ei olwg unwaith yn rhagor at y llyfr nodiadau. Cododd y clawr. Edrychodd ar y rhwyg lle bu'r tudalennau cyntaf. Rhedodd ei fys ar ei hyd, rhedodd ei feddwl ar ei hyd. Beth oedd yno? Be rwygwyd ymaith?

Yna trodd, ac ar frys bellach, darllenodd ymlaen:

Mae i bob un ei lwybr, a dilynais f'un innau, nes i mi ganfod fy hun lle, efallai, roeddwn i wedi dymuno bod ers y dechrau un: yn sefyll wrth ddrws Anna.

'Simon!' clywais uwch fy mhen.

Camais yn ôl i'w gweld wrth y ffenest agored, yn codi'i gwallt o'i hwyneb gydag un llaw dan wenu.

'Mae hyn yn hyfryd,' meddai wedyn wrth y drws, gan fy nghofleidio'n dynn. Roedd hi bron yn flwyddyn ers imi 'i gweld hi.

I fyny'r grisiau gwnaeth hi goffi, ac eisteddon ni ar y soffa wrth y ffenest tra siaradodd am ei chyfnod adref, am hyfrytwch cynefin ac am ddychwelyd i Baris. Roedd hi'n fwrlwm o straeon. Ac wrth iddi adrodd ei hanes, gwenai arna i, ei llygaid yn disgleirio fel petai'n chwerthin ar gyfrinach nad oedd yn hysbys ond iddi hi ac i'r sawl ffodus roedd hi'n edrych arno. A meddyliais, oedd, mi roedd hi'n falch o 'ngweld i. Dywedodd gymaint roedd hi wedi gweld ein colli ni i gyd. Y fi fu'r cyntaf i grybwyll Joni.

'Mae o dy angen di.'

'Mae'n fuan,' meddai hi. 'Dwi ddim isio rhuthro.'

A gadawais bethau fel'na. Wnes i ddim awgrymu iddi'i weld o, i geisio cymodi. Ro'n i wedi dweud fy narn bychan, wedi gwneud fy rhan. Ro'n i'n gobeithio y byddai fy ymdrech dila'n gyfiawnhad ar gyfer unrhyw beth a ddeuai wedyn. Felly pwyson ni ar y sil ffenest gan wylio'r stryd islaw, a sgwrsio a chwerthin. Pan oedd y golau wedi cilio, codais, a'i chofleidio, a rhoi cusan gyflym ar ei boch. Roeddwn i'n ofni rhywbeth, Joni efallai, neu fi fy hun, yr holl bethau hyn. Felly gafaelais yn fy siaced gan addo dod yn ôl.

Dridiau'n ddiweddarach roedd ffenestri Anna ar agor a

heulwen annisgwyl wedi dod i oleuo'r prynhawn. Roedd hi'n gwisgo siwmper wlân oedd yn rhy fawr iddi ac oedd yn fwy na thebyg yn perthyn i ddyn. Aeth hi i chwilio am win, ac eisteddais wrth y ffenest ger hen gopi o *Zarathustra*. Eisteddodd hi wrth f'ymyl.

Dwi'n dal i gofio'r gwin hwnnw. Roedd y ffenest yn wynebu'r de, a'r golau fel petai'n chwyddo'r ystafell, a'r heulwen yn gynnes, er gwaetha'r awyr ffres, wrth inni yfed yn araf. *Zarathustra* oedd ar fai, yn peri imi gyffwrdd â'i llaw wrth ei estyn iddi, nes imi godi un llaw i dynnu bwcl du o'i llygad. Yna gwyrodd ei hwyneb at gefn fy llaw a'i chusanu. A bron fy mod i'n gallu teimlo'r misoedd, y blynyddoedd efallai, ers y noson gyntaf honno ar ben y to, i gyd wedi'u cynnwys yn y gusan fach honno ar fy llaw. Ac ar ôl tynnu ei siwmper a rhedeg fy ngwefusau'n ysgafn dros groen gwyn ei chefn, tra gafaelwn yn ei bronnau bychain cyn inni dynnu'n gilydd i lawr ar y soffa, edrychais i gyfeiriad y ffenest ar y prynhawn oedd yn disgleirio y tu allan, a meddyliais sut roedd bywyd yn llawn gwyrthiau. Fel petai teithiau di-nod trenau a chyfarfodydd damweiniol ar ddoeau, teithiau diniwed i'r pydew, oll mor debygol ag unrhyw beth arall o'n tywys ni at wyrthiau. Yn peri inni daro, ar brynhawniau oer o heulwen mewn dinasoedd pell, ar rywun fel Anna, nes ein bod yn tynnu'n dillad, a 'mod i'n clywed ei hanadl yn fy nghlust wrth iddi gau ei bysedd amdana i. Dwi'n dal i feddwl am ryfeddod yr holl beth, yn ei harogl ac ym mlas ei chroen. Dal i deimlo fod pobl, fel amser, yn llifo; cyrff y byd yn cofleidio ar hap. Ro'n i, y prynhawn hwnnw o aeaf, wedi bod yn teithio ers blynyddoedd – nage, ers canrifoedd – fel seren wib i freichiau agored a chluniau noeth y seren wib arall hon.

Fel dau fymryn o lwch yn cyfarfod, am eiliad, i dynnu a chrafu a gwthio, a gwneud yr un peth sydd efallai'n gwneud synnwyr o'r cyfan, sef caru ar soffa gyda'r ffenestri ar agor a chael cipolwg o ystyr yng ngolau olaf y prynhawn. Ac wrth imi estyn am ddwylo Anna oedd yn gafael ym mhen y soffa, wrth imi blethu fy mysedd yn ei bysedd hi mi gaeais fy llygaid a rhywle yn fy mhen clywais lais yn galw gan ddweud, 'Dwi wedi f'achub. Dwi wedi f'achub'.

Mae yna allt – sgwennodd y cyfieithydd yn ei lyfr nodiadau – ac mae'r tŷ ar yr allt, ac ar waelod yr allt mae 'na siopau, ac mae un ohonyn nhw'n gwerthu papur a chardiau ac inc. A llyfrau nodiadau. Mae'n fore llachar. Ond yn y siop mae hi'n dywyll, ac mae cloch fach yn canu uwch ein pennau wrth inni agor y drws, ac mae rhywun, Joni Zlatko, Simon Lewis, Iestyn Llwyd, gallai fod yn unrhyw un, yn prynu llyfryn i sgwennu ynddo: meddyliau a phrofiadau, enwau seintiau, prydau cofiadwy ac amseroedd bysiau, geiriau, breuddwydion, atgofion, oll wedi'u lliwio ag inc.

17
Olion

Treuliwyd oriau olaf Iestyn Llwyd yn edrych drwy'r ffenest heb iddo weld yr heulwen yn diflannu o gopaon y bryniau, yn syllu i'r stryd heb glywed y ceir, yn sefyll wrth y bàth yn fyddar ac yn ddall i'r dŵr a lifai iddo. Roedd wedi codi y bore hwnnw gyda'r sicrwydd fod y diwedd mewn golwg, fod y stori bellach yn adrodd ei hun. Felly cyfieithodd, bron nad oedd yn sgwennu:

Y gwanwyn hwnnw mi gadwais draw o'r Cactus ac oddi wrth bawb gan smalio 'mod i'n gweithio'n galed ar fy nofel. Ond mewn gwirionedd roedd fy syniad gwreiddiol yn pylu, wedi'i ddisodli bellach gan syniad Joni ynglŷn â dyn yn mynd ar goll. O ganlyniad doeddwn i'n sgwennu dim, heblaw am y nodiadau ro'n i'n eu rhoi yn fy nyddiadur. Clywais ambell si – fod Joni'n wael, roedd o ar gyffuriau, wedi colli arni neu wedi gadael Paris – ac ystyriais fynd i Rue du Marché Popincourt, ond heb unrhyw fwriad difrifol. Roeddwn i'n ormod o gachgi.

Roeddwn i'n hanner byw yn Rue Mandar erbyn hyn. Ac er imi wneud fy ngorau i anghofio Joni, dod i feddwl mwy a mwy amdano wnes i. Nid amdano fo'i hun efallai, ond am ei bresenoldeb, amdano fo yn y lle hwnnw. Dechreuais ddychmygu ei draed yn dringo'r grisiau at ddrws Anna, yntau'n pwyso ar y sil uwchben y stryd neu'n darllen ar y soffa. Ro'n i'n troedio'n droednoeth dros yr un llawr â fo, yn caru'r un ferch yn yr un gwely. Un noson allwn i ddim dal fy hun rhag sôn am y peth. Newid ydy natur pethau, meddai Anna. A dyna hi.

Efallai wir. Ond wnaeth hynny ond f'atgoffa i eto mor debyg oedd hi a Joni. Fi oedd y dieithryn. Fi oedd y bod estron hwnnw sy'n aros ynghlwm â'i gefndir, sydd wedi'i hoelio i gynefin ac yn cario'i orffennol bob cam o'r daith. Mae o'n gollwng darnau ohono'i hun ar y ffordd, ond waeth faint o haenau sy'n syrthio oddi arno mae'r cnewyllyn yn aros. I rai mae hwnnw'n gwmpawd, i eraill yn angor. Ond i eraill eto, pobl fel Joni, mae'n bwysau plwm sy'n ei dynnu i lawr i'r dŵr dwfn a fydd un diwrnod yn ei foddi.

Y rhain, felly, ac nid pryder am ei les, oedd fy meddyliau ynglŷn â Joni.

Un noson cefais ddiod efo Stéphane yn y Cactus. Roedd o'n mynd i ffwrdd i weithio am ychydig. Byddai wedi hoffi gweld Joni cyn mynd, meddai, ond doedd o ddim yn ateb ei ffôn.

'Ddeudis i 'i fod o'n meddwl gormod, do?' meddai wrtha i. 'Pawb yn chwilio am rywbeth. Ond mae'r peth 'na 'dan ni'n chwilio amdano fo fan hyn,' meddai, gan droi i gyfeiriad y stryd wlyb. 'Nid dyna maen nhw'n ddeud? Bod y Bwda ym mhob diferyn o law, ym mhob curiad sawdl ar y pafin... ac,' trodd at y bar a chodi'i wydr, 'ym mhob cegaid o win? Mae rhai pobl yn chwilio a thyllu a rhedeg i gael yr union beth oedd ganddyn nhw ar y dechrau. Mae pob dydd yn wyrth, a neb yn coelio mewn gwyrthiau.'

O'r diwedd, ffoniais rif Joni. Ro'n i'n gobeithio na fyddai

neb yn ateb a ches i 'mo fy siomi. Felly gadawais neges hwyliog yn holi sut ddiawl oedd o, a phryd roedden ni am gael diod eto, roedd hi wedi bod yn sbel.

Noson arall, wrth ddringo o orsaf Hôtel de Ville, tarais ar Edward ar ei ffordd i lawr.

'Ti'n iawn Edward? Ti 'di bod yn y Cactus?'

'Ydw,' meddai, 'ond dim ond coffi, wrth gwrs.' Oedodd gydag un droed ar y grisiau a'r llall ar y pafin. 'Neu oes?'

'Mae ydw'n iawn,' dywedais innau.

'Wrth gwrs! Dwi'n dwp iawn heb Joni a ti!'

'Dwyt ti ddim wedi'i weld o chwaith, felly?'

'Roeddwn i yn ei dŷ,' meddai. 'Wyt ti wedi ei weld, yn ddiweddar?'

'Naddo. Nes i drio'i ffonio fo, ond doedd 'na'm ateb. Sut oedd o?'

'Dim yn iawn, dwi'n credu.' Edrychodd arna i am eiliad, yna meddai: 'Mae Anna yn ôl, wyt ti'n gwybod hwn?'

'Yndw,' atebais.

'Mae o yn ei castell.' Cododd fys at ei dalcen. 'Ac mae'r *drawbridge* wedi codi, dwi'n meddwl. Mae o'n distaw. Mae o gynno fo gormod o meddwl yn ei ben. Ond dim ond *moment* ydy hwn, efallai.' Yna newidiodd ei dôn yn sydyn gan wenu: 'Raid i ti'n mynd i weld o!'

Teimlais ddiferyn o law ar fy moch, ac edrychodd Edward i fyny. Roedd yr awyr tuag at Bastille yn ddu.

'Ond rhaid imi fynd!' meddai. 'Mae gen i ymarfer yn hanner awr.' Yna meddai'n sydyn, 'Mae'n hyfryd dy weld, Simon!' A chofleidiodd fi'n galed. 'Wela i ti yn fuan. Tyrd am ddiod, ia?'

'Dydy dy goesau di ddim yn oer?' gofynnais, am y canfed tro.

'Dim problem,' galwodd dros ei ysgwydd wrth fynd i lawr y grisiau. '*Northerner* dwi... dim blydi *softie* Cymraeg!' Trodd ar y gwaelod gan godi llaw a gweiddi, 'Ffonio yn fuan, ia? A diod!'

'Ia,' atebais wrth iddo ddiflannu i'r Metro. Safais yno wrth i'r glaw gynyddu, gyda'r teimlad fod pawb yn ymddangos ar frys i fynd i rywle. Fel petai 'na drên i'w ddal a neb wedi sôn wrtha i.

Aeth y misoedd heibio a gadawodd y trenau, ond doeddwn i ddim ar 'run ohonyn nhw. Erbyn yr hydref clywais fod Joni wedi symud allan i ardal Belleville. Roedd hi'n aeaf cyn imi benderfynu mynd i chwilio amdano. Dywedodd Anna wrtha i am beidio mynd. Doedd gen i ddim bwriad o gyhoeddi unrhyw beth ynglŷn ag Anna a fi, ond ro'n i am fod yn onest efo fo petai'n gofyn. Fel digwyddodd pethau, wnaeth o ddim. Ddes i drwy'r rhwyd, heb y dwrn yn fy nhrwyn ro'n i'n ei haeddu.

Es i rownd at y cefn a chael fy synnu o weld Joni yno, yn sefyll yn y ffenest agored gyda gwydr yn ei law. Codais law, fel arfer, ond welodd o mohona i. Edrych i fyny roedd o, uwch fy mhen ac at yr awyr las. Galwais arno, a dyna pryd sylwodd arna i, gan godi'i law wag gyda hanner gwên. Es i at y drws.

I ddechrau cymerais mai ei frwdfrydedd ynglŷn â'i fywyd newydd oedd ei siarad di-baid. Roedd o wedi rhoi'r gorau i'r syniad o sgwennu am y tro, meddai, gan amneidio at bentwr o lyfrau nodiadau carpiog ar y bwrdd. Ar eu pen roedd hwnnw a brynodd y bore hwnnw ym Menton. Ro'n i'n cofio'r llinyn lledr amdano. Gwelodd fi'n edrych arno. Doedd o ddim wedi sgwennu gair ynddo fo eto, meddai.

'Falla fydd raid i ti orffen y stori i mi,' dywedodd.

Chwarddais, ond wedyn gwelais ei fod o ddifri.

'Iawn, falla wna i,' dywedais. Dyna'r addewid cyntaf imi'i wneud y diwrnod hwnnw.

Yna aeth i sôn am yr ardal lle treuliai ei amser. Byddai'n galw mewn i un neu ddau o fariau o gwmpas y Place des Fêtes ond doedd o ddim yn selog yn unrhyw le. Roedd yn well ganddo gerdded ar hyd y Rue des Pyrénées, gan lusgo'i draed o gwmpas y siopau Fietnamaidd yn ardal Belleville, a chodi'n gynnar i grwydro drwy'r farchnad fach ar y Rue du Télégraphe. Roedd o'n hoff o'r synau, meddai, o'r arogleuon a'r lliwiau o gwmpas y stondinau, fel petai wedi darganfod rhyw angerdd tuag at stondinau marchnad gyda'r wawr.

Wrth gwrs, roedd hyn i gyd yn naturiol. Roedd Anna'n iawn pan ddywedodd mai hogyn tref fach oedd Joni yn y bôn. Oherwydd, mewn gwirionedd, beth ydy ardal dinas ond pentref? Gwaeddai Joni helô wrth berchennog caffi wrth gerdded heibio yn y stryd, cawsai sgwrs bob bore efo'r boi yn y ciosg papurau newydd ac roedd o'n nabod y cardotwyr wrth y banciau. A dyma'r atyniad i Joni. Roedd o wedi syrffedu ar osgo canol y ddinas. Ond allan yn fanno gallai anadlu'n ddwfn o'r hen Baris honno oedd yn gyflym ddiflannu. Ond yn wahanol i'r hyn ddywedai Anna, dwi'n meddwl mai'r ymylon, yn hytrach na threfi bach, oedd cartref Joni Zlatko. Ac os oedd lle iddo yng nghynllun mawr y byd, os oedd ganddo wir gynefin, yno roedd hwnnw. Allan yn yr holltau a'r caeau gwasgar oedd yn strydoedd cul a sgwariau Belleville. I'r cyrion y ciliodd Joni, oherwydd mai dyn y cyrion oedd o. Doedd o ddim yn perthyn yn unrhyw le a'r ymylon oedd ei elfen.

Ond pan eisteddon ni i gael te yn un o'r llefydd Arabaidd ar ben uchaf Rue de Belleville, aeth Joni'n ddistaw. Mi wylion ni, heb yngan gair, yr hen ddynion o Ogledd Affrica'n rhoi'r byd yn ei le wrth yfed eu te mint. Taniodd Joni un sigarét ar ôl y llall, a sylwais fod yr aflonyddwch hwnnw'n ôl. Roedd o'n croesi'i goesau'n ddiddiwedd ac yn curo'i draed ar y pafin, fel petai'n cerdded yn ei unfan. Roedd ei ewinedd wedi'u peintio'n ddu ac roedd crafiadau ar ei war. Wnes i ambell ymdrech i ailgynnau'r sgwrs, ond mae'n debyg fod Joni wedi dweud y cwbwl oedd ganddo i'w ddweud. Wedyn cerddon ni, mewn distawrwydd, a phan welais nad oeddwn i'n bell o Place Gambetta dywedais fy mod i am fynd. Daeth Joni efo fi at y Metro. Roedd y sgwâr yn llyn mawr o heulwen, ac adfywiodd hyn rywfaint ar Joni, ac awgrymodd inni gael un smôc arall wrth geg y Metro.

Mewn gweithred na sylweddolais yn llawn tan yn nes ymlaen mai ffarwél oedd hi, eisteddon ni ar fainc yn yr heulwen ac edrych allan ar y sgwâr. Roedd o'n gwisgo'r gôt croen dafad hir honno roedd o mor falch ohoni, arwydd pendant fod y gaeaf ar ei ffordd, ond tynnodd hi rŵan yng ngwres yr haul. Ailgydiodd Joni yn y siarad, ond at y gorffennol hwnnw roedd o mor awyddus i ffoi rhagddo roedd ei sgwrs yn troi.

'Fyddi di byth yn meddwl am pan ddest ti yma gynta?' gofynnodd. 'Meddwl be ddigwyddodd i hwnnw ddaeth i'r ddinas 'ma flynyddoedd yn ôl? Lle aeth y boi arall 'na roeddet ti'n arfer bod?'

'Weithiau,' medda fi. 'Weithiau fydda i'n cael cip ohono fo. Fedrith o ddim bod wedi diflannu'n llwyr.'

'Fydda i'n meddwl am y Fi hwnnw,' meddai Joni. 'Y boi 'na ddaeth oddi ar y trên efo'i fag a dim yn y byd ond amser.'

'Dim ond bwgan arall, Joni.'

Atebodd o ddim, dim ond edrych i gyfeiriad y sgwâr, heibio'r bobl yn disgyn a dringo grisiau'r orsaf o'n blaenau ni heb eu gweld, at ofod agored y gylchfan a'r pistyll yn disgleirio yn yr haul.

Ro'n i wastad wedi meddwl mai gwahanol oedd Joni, trigolyn byd arall y byddai o bryd i'w gilydd yn ei rannu efo ni. Ond wrth imi ei wylio'n eistedd yno'r diwrnod hwnnw, yn edrych i rywle y tu draw i ru'r traffig, synhwyrais fod rhywbeth wedi torri: llinyn rywle yn adeiladwaith Joni Zlatko, rhywle yn y strwythur o olau a gwe oedd yn ein cynnwys ni i gyd. Roedd ei draed a gurai ar y ddaear o dan y fainc fel petaen nhw wirioneddol yn ymdrechu i gamu a gwibio ar hyd y llwybr hwnnw o amser roedd o'n sôn amdano, fel petai Joni'n ymrannu gydag amser, yn datgymalu damaid wrth damaid, gam wrth gam, ac yn diosg elfennau ohono fo'i hun ar ymyl y ffordd, yno o flaen fy llygaid.

Ond be allwn i ei wneud am y peth? Yn dila, a heb fawr o obaith, mi roddais gynnig olaf arni a dweud:

'Dos adra, Joni. Gall rhywun golli'i hun gymaint fel nad oes 'na ddim ohono fo ar ôl.'

Edrychodd Joni tua'r sgwâr. Yna trodd ata i.

'Ti'n gwybod bod Gambetta,' meddai, 'wedi dianc rhag y Prwsiaid mewn balŵn?' Yna edrychodd arna i. Edrychodd mor hir nes y bu'n rhaid imi wenu. Chwarddodd, yna meddai, 'Pam na ddei di efo fi? Awn ni i rywle newydd. Sbaen, Portiwgal. Iaith newydd, bywyd gwahanol. O bawb, faswn i'n falch o dy gwmni di.' Ac edrychodd arna i. Nid fel petai'n aros am ateb, ond yn hytrach am ymateb, rhyw arwydd o dueddiad fy meddyliau.

'Gadael Paris?' dywedais. 'Ti 'di bod yma'n hirach na fi, Joni. Dwi'm yn gwbod os dwi'n barod eto.'

Pwysodd yn ôl ar y fainc. 'Na, ti'n iawn,' meddai, gan daro'i ddwylo ar ei bengliniau, yn benderfynol i gyd. 'Mae'n rhaid gwneud pethau cyn gadael rhywle. 'Dan ni'n anghofio mor fyr ydy bywyd. Mae o'n fregus, a does neb yn marw'n annisgwyl. Mae rhai pethau sydd angen eu gorffen yn daclus, fel nad wyt ti'n sbio'n ôl drwy'r adeg, yn difaru.'

Rŵan, wrth gwrs, dwi'n gwybod mai fy mhrofi i roedd Joni. Roedd gwên ryfedd ar ei wyneb. Roedd ei wefusau'n symud, fel petai'n cael sgwrs fewnol gyda rhywun. Am eiliad meddyliais ei fod o ar fin fy holi ynglŷn ag Anna. Ac yn sydyn teimlais yn ffiaidd, gan weld fy hun fel roeddwn i, yn afiach ac yn gachwr. Dyna pryd y dylwn i fod wedi dweud wrtho fo. Adrodd yr holl hanes, derbyn y dwrn yn fy wyneb, dweud mai fi oedd am fynd ac y byddai pethau'n mynd yn ôl fel roedden nhw. Ond yn lle hynny dywedais:

'Sgen ti falŵn?'

'Nagoes,' meddai. Yna gwenodd, gwên go iawn, fel yn yr hen ddyddiau. 'Ond dwi'n nabod clown,' meddai. 'Sawl clown ti angen er mwyn hedfan?' Chwarddodd, ac, am eiliad, gwelais yr hen Joni, y brawd mawr wnes i ei gyfarfod ar y balconi y noson honno, oesau'n gynharach.

Medda fi, 'Mae Edward yn iawn, 'sti. Elli di ddim dianc am byth. Rhag y pethau yn dy ben.'

'Falla ddim,' meddai'n araf. 'Ond mae'n curo sefyll yn dy unfan.'

'Dos o 'ma am chydig bach, 'ta,' medda fi. 'Falla gei di aros yn lle Stéphane ym Menton.'

'Bosib,' meddai. 'Ond Simon...'

'Ia?'

'Os ddiflanna i ryw ddiwrnod, ty'd i chwilio amdana i, wnei di? Rhag ofn 'mod i ar goll.'

'Pam fasat ti'n mynd ar goll?'

'Wnei di?'

Edrychais arno, gan lyncu f'anadl yn gyflym.

'Wna i,' medda fi'n ddistaw. A dyna'r ail addewid mewn un diwrnod.

Yna cododd a gwisgo'i gôt. Ac wrth geg yr orsaf estynnodd ei law, a gwnes innau'r un fath. Yna tynnodd fi ato a 'nghofleidio mewn modd nad oedd o erioed wedi'i wneud o'r blaen. Ac wrth iddo droi i fyny'r stryd gwyliais am ychydig, ei gôt hir yn codi rhywfaint yng ngwynt y prynhawn. Yna troais innau hefyd am y Metro, gyda theimlad o ofod yn chwyddo y tu mewn i mi, o wacter a ddaw gyda diwedd rhywbeth, gyda cholled a galar am rywbeth sy'n marw, ac wrth imi ddisgyn y grisiau daeth dagrau i'm llygaid, drosto fo, a drosta i.

*   *   *

Yn y stafell fyw gwyliodd Iestyn Llwyd ei law fel petai'n perthyn i rywun arall. Gwyliodd hi'n estyn am y silff lyfrau. Ac roedd fel petai'r prynhawn ei hun yn oedi, y distawrwydd yn drwm a'r llonyddwch yn fyddarol a dim yn bodoli yn y foment hon ond y weithred o estyn llaw ddieithr am Charles Darwin. Gafaelodd yn y llyfr. Symudodd, neu arnofiodd, fel petai'n ymbellhau o'r lan, at heulwen y ffenest, a byseddodd gorneli plyg y clawr. Heulwen arall a dywynnai arno rŵan. Heulwen y blynyddoedd mewn ffenest bell, heulwen

Nadolig uwchben camlas. Crynai ei fysedd wrth i'r tudalennau wahanu ac agor ar eu pen eu hunain i ddatgelu hen docyn sinema yn marcio'r lle. Peidiodd ei anadl. Oherwydd ar y dudalen roedd ôl pŵl. Staen, heb unrhyw amheuaeth, hylif a gollwyd arno, rhywbeth a redodd dros y dudalen. Te? Gwin? Ond gwyddai mai coffi oedd o, coffi a gollwyd mewn ystafell o lyfrau a llwch, fywydau yn ôl. Cyffyrddodd â'r staen, fel petai'n dal yn wlyb.

Oedd y dyn a ddringodd y grisiau yn ddiweddarach eisoes yn rhywun arall? Mae'n anodd dweud. Efallai nad Iestyn Llwyd oedd hwnnw, efallai fod Iestyn Llwyd eisoes wedi mynd. Fyddai'r sawl a gyrhaeddodd y stafell molchi yn cofio dim o ddringo'r grisiau, dim o dynnu amdano nac o sefyll yn noeth ar ganol y llawr. Roedd y creigiau'n disgyn a'r clogwyn yn ildio dan ei draed. Trodd y golau a ddeuai drwy'r ffenest, ciliodd y dydd, tywyllodd corneli'r ystafell. Daeth goleuadau'r stryd i mewn, i orwedd yn ffiniau caled ar hyd y waliau a thros y llawr. A dal i sefyll yno wnaeth y cyfieithydd. Pan sylweddolodd lle roedd o, teimlai'n oer ac yn fud. Edrychodd o'i gwmpas, yna camodd at y bàth ac agor y dŵr. Llifodd y dŵr, ond prin y'i gwelodd; chlywodd ei glustiau 'mo sŵn y tasgu. O'r diwedd molchodd, gwisgodd, a heb wyro'i lygaid cerddodd i lawr y grisiau, prin ei fod yn anadlu, ac eisteddodd wrth y ddesg. A phan ddechreuodd sgwennu wyddai ddim o ble daeth y geiriau. Ond dod wnaethon nhw, o rywle, o rywbryd. Fel petaen nhw yno o'r dechrau un. Ers y sgwrs honno wrth y bont, ers yr alwad ffôn, o oes cyn Dyfan Edwards, ers y bws uwchben y dyffryn a'r dref. Ers Paris ei hun.

Roedd yna ferch – sgwennodd y cyfieithydd – ciliodd ei

chnawd, a natur ei chroen. Ciliodd ei henw hefyd, y cnawd llafar hwnnw, y cig a gwaed o synau sy'n dod â rhywun i fod. Ond roedd ei hanfod, ei bodolaeth, yno drwy'r adeg. Doedd hi ddim yn brydferth, nid yn y ffordd arferol. Ac roedd ei llais yn cario'r ffaith syml, yn mynegi fod pob rheswm yn cadarnhau hyn: bod y byd yn llawn rhyfeddodau. Wrth gwrs ei fod o, doeddet ti ddim yn gwybod hynny? Fod gwyrthiau o'n cwmpas ni ym mhobman. Ein bod ni'n sathru duwiau dan draed, ond mai pwrpas bywyd oedd eu gweld, eu clywed, plygu yn y gwter a'r ffos a'r cae o flodau gwynion, a'u cyffwrdd, fel bod ein bywydau unigol pitw trist ein hunain hefyd yn wyrthiol, hefyd yn fyw. Fel y cawn, am eiliad, ddal y gragen at y glust.

Ac felly rŵan dywedodd yr enw'n uchel: Anna. Y gawell honno o lythrennau a gyfatebai i berson, person cyfan o fewn dwy sill. A thra mae enwau, fel geiriau, yn golygu dim byd i rai, i eraill maen nhw'n golygu popeth. Cyffyrddiad bysedd, tôn llais, ei breuddwydion bach yn ynysrwydd y nos. Neu'r glaw a ddisgynnai wrth ddrws sinema un noson bell, flynyddoedd yn ôl. Dyma roedd cofio'n ei gyfleu, dyma roedd cofio Anna'n ei ddweud.

A sgwennodd y cyfieithydd bopeth, wrth i'r dyfroedd ruthro allan, yn y llyfr nodiadau a brynodd un tro mewn siop fach gyda chloch uwchben y drws, mewn tref ar lan y môr.

18

Y Rambuteau

Welais i o unwaith eto, ddim yn hir ar ôl hynny. Roedd Anna a finna'n ymlwybro drwy'r Marais ac roedd Anna wedi stopio i edrych ar rywbeth mewn ffenest siop. Mi droais i a dyna lle roedd o, yn sefyll ar gornel Rue de la Huchette. Roedd o'n ein gwynebu ni ond yn edrych i gyfeiriad arall. Troais fy nghefn yn gyflym a chocsio edrych i'r un ffenest siop ag Anna. Pan edrychais eto ychydig ymhellach ymlaen roedd o wedi mynd. Wyddwn i ddim a welodd o ni, ac wrth gwrs soniais i ddim byd wrth Anna. Ond ar ôl hynny fedrwn i ddim yn fy myw â dileu'r ddelwedd, a'r amheuaeth, ei fod o'n ein dilyn ni, yn ein gwylio. Dyna pryd y dechreuais i osgoi'r llefydd arferol, y bariau a'r ardaloedd a berthynai iddo fo. Ro'n i am i Joni ddiflannu, mynd i ffwrdd. Roedd gen i ofn y byddwn i'n cerdded ar hyd y stryd un diwrnod ac yn teimlo'i law ar f'ysgwydd, neu y byddwn i'n ei weld drwy'r dorf ar y Metro, a gweld ei lygaid arna i, yn cyhuddo, yn beirniadu, yn erfyn arna i i'w helpu. Es i hyd yn oed i feddwl amdano'n crwydro'r bariau yn y prynhawn, yn ei ddiod a'i ddig, gan ddychmygu fy ninistr a'i ddial.

Ond ddigwyddodd dim byd, wrth gwrs. Nid dyna steil Joni. Yn hytrach, ciliodd ymhellach. A chyn bo hir doedd neb wedi clywed ganddo fo ers misoedd. Yn araf, i mi, ac i ni i gyd, peidiodd Joni â bodoli.

Dyna roeddwn i'n ei feddwl pan ddywedais ei fod o wedi troi'n atgof. Rhywun a fu'n rhan o'n bywydau ni un tro, fel dyn marw. Gadawodd ni, a gadawon ninnau yntau lle roedd o, yn ei ogof neu ei fedd. Ac felly, mewn ffordd, pan ddaeth yn ei ôl, nid fo welais i flynyddoedd yn ddiweddarach ond ei ysbryd, un noson wlyb yn y Café Rambuteau.

Mae'n codi a mynd at y ffenest sydd ar agor uwchben y stryd. Fel y glanhawr ffenestri yn ei freuddwyd, mae'n meddwl am loywder y gwydr glân. Ond nid y stryd o'i flaen mae'n ei gweld. Oherwydd mae'n gweld ei hun rŵan yn gwylio'r bobl islaw gyda hithau wrth ei ymyl. Ac mae'n ymlafnio'n ofer i gofio persawr ei gwallt.

Y dyn yna ar ei feic – mae'n cofio – a fyddai'n mynd heibio ar Rue Mandar gyda'r nos yn yr haf, yn ei dei-bo a'i siwt, a basged ar y blaen gyda blodau ynddi. Sŵn olwynion ar y coblau. O Rydychen roedd o, meddet ti. Roedd o wedi mynd allan ar ei feic flynyddoedd yn ôl efo blodau i'w gariad ac wedi colli'i ffordd. Ac medda fi: Bob dydd mae o'n prynu blodau ffres, rhag ofn mai heddiw fydd y diwrnod y bydd o'n cyrraedd adra. A gobeithio bod y ddynes yn dal i aros, medda chdi, rywle yn Summertown efallai. A dyma fi'n dweud, A phan ddaw o adra, mi wenith arno fo o'r drws a chymryd y blodau heb hyd yn oed gofyn lle fuodd o mor hir.

Wel, sgwn i a gyrhaeddodd o erioed – sgwennodd y cyfieithydd – neu ydy o'n dal i fynd rownd ar ei feic, yn dal i chwilio am ei ffordd adref. A phan gyrhaeddith o, gobeithio y bydd y ddynes yn dal i'w gofio, a'r blodau'n plesio.

Daeth yn ei ôl y gwanwyn canlynol, oddi ar drên ac o nunlle. Roedd yr hen gerdyn hwnnw o'r Cactus yn dal gynno fo, hwnnw sgwennodd o rif Rue Mandar ar ei gefn i mi y tro hwnnw cyn ei roi yn ei waled. Felly deialodd y rhif a gwrando ar y ffôn yn canu rywbryd yn y gorffennol lle does neb yn byw ond ysbrydion. Dwi'n gwybod. Achos fi gododd y ffôn. Y drych yna eto, dach chi'n gweld. Weithiau mae'r ffôn yn canu a dach chi'n ateb i ddarganfod mai chi'ch hun sy'n ffonio.

Roedd Anna yn y wlad am ychydig ddyddiau, ac roeddwn i'n eistedd ar y soffa wrth y ffenest, yn hanner darllen a hanner gwrando ar y glaw. Roedd hi tua phump o'r gloch.

'*Oui?*' atebais. '*Oui, allô?*'

'*Je suis à la gare.*'

'*C'est qui?*' dywedais innau. Ond ro'n i'n gwybod yn iawn.

Felly dyma fo'n dweud yn Gymraeg: 'Dwi yn yr orsaf. Ydy...?' A stopiodd.

Wrth gwrs, ro'n i'n gwybod nad amdanaf i roedd o'n chwilio. Ond roedd fel petai'r enw roedd ar fin ei ynganu, fel ei eiriau a'r atgofion oedd ynghlwm â nhw, wedi diflannu o'i dafod. Roedd o'n sefyll ar lethr fregus, a'r cerrig yn eiriau a lithrai dan ei draed.

Doedd gen i ddim syniad beth i'w wneud. Felly dyma fi'n gwneud y peth hawsaf a smalio ei fod o wedi cael y rhif anghywir. Ond yr eiliad y rhoddais i'r ffôn i lawr mi wyddwn i nad oedd hynny'n ateb y broblem. Roedd Anna, dybiwn i, wedi cloi'r drws ar Joni Zlatko, ac er bod fy hen ffrind, y dyn a welwn un tro fel brawd, wedi dod yn ei ôl o bwy a ŵyr ble, yr unig beth a deimlwn oedd yr ofn o'i adael yn ôl i mewn. Y blaidd wrth y drws. Dywedais wrtha i fy hun mai amddiffyn Anna roeddwn i, ond wrth gwrs y sawl ro'n i'n ei amddiffyn oedd fi fy hun. Felly, er mwyn fy nghydwybod yn fwy na dim y chwiliais am y rhif olaf ar y ffôn, a deialu. Pan atebodd oedais ennyd cyn dweud:

'Lle wyt ti?'

'Paris. Yn yr orsaf.'

'Pa orsaf?'

'Dwi'm yn gwbod. Y Gare du Nord.'

'Lle ti 'di bod?'

'Dwi newydd ddod oddi ar y trên. Dwi 'di bod i ffwrdd.'

'Yli, dos i'r Cactus. Nage, i'r Rambuteau. Arhosa amdana i yno.'

Ystyriais gymryd tacsi ond roedd angen amser arna i i feddwl. Felly cymerais y Metro, a dyna wnes i. Meddwl pam roedd o yn ei ôl ar ôl diflannu am yr holl amser yma, lle fuodd o a be ro'n i i fod i'w wneud rŵan? Y peth rhesymol felly, nage, y peth cywir, fyddai rhoi gwybod i Anna. Ond dywedodd llais rhywle y tu mewn i mi fod Joni'n siŵr o ddiflannu eto, a hynny heb i Anna wybod iddo erioed fod yn ei ôl. Ac yna es i feddwl amdanon ni i gyd, am yr amser oedd wedi mynd, am y gorsafoedd yr ochr draw i'r gwydr roedden ni wedi pasio drwyddyn nhw gymaint o weithiau efo'n gilydd. Ac wrth imi ddarllen yr enwau ar y lein mi ddaethon nhw â'r dyddiau hynny'n ôl, yn fyw ac yn gynnes – République – ac mi allwn i deimlo Joni'n chwerthin wrth f'ymyl i – Temple – ac Anna'n gwenu – Arts et Métiers – a bywyd yn curo ynddon ni fel curiad y rheiliau oddi tanon ni. Rambuteau.

Roedd glaw ysgafn y prynhawn wedi trymhau erbyn imi ddringo'n ôl i'r stryd ac roedd y nos wedi dod. Safais gan wylio'r bobl yn brysio heibio, eu pennau'n isel dros y tarmac gwlyb. Gyferbyn â'r Café Rambuteau ystyriais, nid am y tro cyntaf, peidio â mynd i mewn. Taniais sigarét, gan gadw at geg y Metro, yr ochr arall i'r ffordd. Yna, yn anochel a bron heb yn wybod i mi fy hun, ro'n i'n croesi'r stryd nes i mi ganfod fy hun o flaen y ffenestri llydan. Craffais drwy'r ffenest ar y bobl y tu mewn. A dyna pryd y gwelais i o.

Roedd o'n hawdd ei adnabod er gwaetha'i farf a'r cap *baseball* am ei ben. Roedd y lle'n brysur, ond mae'n rhaid mai newydd gyrraedd roedd o oherwydd roedd o ar ei draed ac yn gollwng ei fag wrth fwrdd roedd gweinydd yn ei glirio iddo. Nid y Joni Zlatko ro'n i'n ei gofio oedd o, wrth gwrs. Ond fo oedd o 'run fath: roedd ongl ei ben yn dweud hynny, ei osgo wrth iddo dynnu'i gôt. Fel pob atgof, doedd o ddim yn union fel y gwreiddiol. Roedd amser wedi gwneud ei waith naill ai ar y dyn a gofiwyd, neu arna i, y sawl a gofiai, a mwy na thebyg ar y ddau. Dwi'n gwybod am amser. Dwi'n gwybod yr hyn mae o'n gallu'i wneud i bobl. Edrychodd yr atgof o'i amgylch, yna eisteddodd. Es i mewn.

Roedd y bar yn llachar, a synau lleisiau a chyllyll a ffyrc ar blatiau yn tasgu oddi ar y drychau uchel a'r llawr moel. Oedais wrth y drws. Roedd Joni'n syllu'n syth o'i flaen. Yna, pan gododd ei ben i edrych dros y cwsmeriaid yn yr ystafell, meddyliais am eiliad ei fod wedi fy ngweld i ac, yn betrusgar, codais law. Ond atebodd o ddim, dim ond troi ei olwg yn ôl at y bwrdd gwag o'i flaen.

Felly croesais y llawr gan wau rhwng y byrddau a dod i sefyll o'i flaen.

'Helô, Joni.'

O glywed fy llais – oherwydd mae'n rhaid ei fod wedi clywed llais – edrychodd arna i, ond heb unrhyw arwydd o adnabyddiaeth. Daeth y gweinydd aton ni. Ddywedodd Joni ddim byd. Felly eisteddais innau a gofyn am ddau goffi a dau frandi. Yna gwyliais. Doedd o ddim wedi tynnu'r cap ond mi welwn fod ei wallt yn hir ac yn gorwedd dros ei glustiau a'i war, a'i fod yn dechrau britho. Roedd clytiau gwynion yn ei farf hefyd, a rhwng y blew gallwn weld ei wefusau'n symud y mymryn lleiaf, fel petai geiriau yn ei ben oedd yn trio dod allan. Roedd esgyrn ei fochau'n amlwg dan ei groen, ac o bryd i'w gilydd byddai ei lygaid yn saethu tua'r drws, fel petai'n gwylio am rywbeth, yn disgwyl gweld rhywun yn dod i mewn o'r glaw. Rhywun a olygai rywbeth iddo ryw dro ac a fyddai'n ymddangos unrhyw funud a dweud wrtho fod popeth yn iawn, rhywun a fyddai'n ei achub. Ond ddaeth hi ddim. Y cwbl gafodd Joni oedd fi.

Pan gyrhaeddodd y diodydd tolltodd siwgr i'w goffi a dechrau'i droi. Roedd o'n dal i droi, a minnau wedi llyncu un o'r brandis ac yn llygadu ei wydr o. Taniodd sigarét. Smociodd ei hanner hi cyn ei diffodd, yna taniodd un newydd. Ar ôl ychydig, cododd ei ben i ddilyn llwybr yr edau frau wrth iddi nofio i orwedd gyda mwg y blynyddoedd ar y nenfwd uwchben. Gwnes innau'r un fath.

Yna estynnais innau sigarét, a gofyn iddo:

'Ga' i dân?'

Daeth â'i olwg i lawr, ac am rai eiliadau edrychodd arna i'n syn. Am ennyd meddyliais ei fod o wedi fy ngweld i o'r diwedd, wedi adnabod fy llais. Taniodd fatsien a'i hestyn i mi, ac mi edrychon ni i lygaid ein gilydd wrth imi bwyso ymlaen ac anadlu'n ddwfn. Ac wrth imi chwythu'r mwg allan a diolch iddo, dyma fo'n gwneud yr hen beth 'na, a chodi ei fynegfys a'i fflicio oddi wrth ei dalcen mewn salíwt filwrol, yn union fel y byddai'n arfer ei wneud. A gwenodd. Ac am eiliad, yn y wên honno, yn y llygaid oedd yn llai nag yr oeddwn i'n eu cofio, fel petaen nhw wedi cilio i ddyfnderoedd ei benglog, gwelais gipolwg o'r hen Joni. Ond yna roedd y wên wedi mynd.

'Joni,' medda fi. 'Be sy'n bod?'

Edrychodd arna i, nage, i fy nghyfeiriad i, fel petai'r cwestiwn wedi dod o'r ystafell, o'r twrw a ymgasglai yn yr awyr uwch ein pennau, yn gyfuniad damweiniol o synau a gyfatebai i rywbeth roedd rhywun yn ei ddweud.

'Dwi wedi bod i ffwrdd,' meddai. 'A does neb yn ateb y ffôn.'

'Wnest ti ddiflannu,' medda fi. 'Lle est ti?'

'Dwi wedi blino,' meddai. Yna, 'Ydy hi'n iawn?'

'Dwi ddim yn gwybod,' medda fi. 'Mae hi wedi mynd.'

Wn i ddim pa effaith gafodd y celwydd arno. Amneidiodd â'i ben, yn araf ac yn hir, yna pwysodd yn ôl ar ei gadair. Wedyn, yn annisgwyl, pwysodd ymlaen eto, a bu bron iddo wenu wrth ddweud, 'Wnes i erioed ddeud yr hanes amdanon ni'n cyfarfod?'

'Do, Joni,' medda fi. 'Roedd hynny flynyddoedd yn ôl.'

Ond waeth pa mor bell yn ôl roedd hynny na sawl tro ro'n i wedi clywed y stori, adroddodd Joni hi'r noson honno fel petai am y tro cyntaf, fel petai hynny'r unig beth a ddigwyddodd iddo fo erioed. Ac mi fydda i'n meddwl weithiau, mewn bywyd, mai dim ond ychydig bethau sy'n digwydd i ni mewn gwirionedd, dim ond ambell ddigwyddiad sy'n marcio a gadael eu hôl. A bod y ddau neu dri pheth yna'n lliwio, ac yn llywio, ein holl fywydau, ac yn parhau i sefyll drwy'r blynyddoedd, fel nodweddion amlwg yn y dirwedd, gan godi uwchben gwastadedd y myrdd o ddigwyddiadau bychain na olygon nhw erioed ddim byd. Sylweddoli hyn, efallai, a wnaeth imi eistedd yn ôl a gwrando unwaith eto ar Joni'n adrodd mai nos Sul oedd hi, a'i fod o wedi mynd i'r Grand Pavois, yr hen sinema honno o'r oes a fu yn Balard, ac ro'n i'n gwybod rŵan fod popeth wedi torri, bod y drych yn deilchion dros y lle.

Codais a mynd at y ffôn. Nid i ffonio Anna, fel y byddai unrhyw berson arall yn ei wneud, ond i ffonio Edward, ond doedd neb adref. Pan es i'n ôl roedd sedd Joni'n wag a'i gôt wedi mynd.

Wnes i erioed ddarganfod ble aeth o. I gysgu y tu allan i'w hen adeilad, efallai. Oherwydd ychydig ddyddiau'n ddiweddarach daeth galwad ffôn yn dweud bod dyn wedi cael ei arestio ar ôl bod yn sefyll drwy'r dydd a'r nos yn syllu drwy ffenest fflat ar Rue du Marché Popincourt. Roedd o yn ysbyty Sacré-Coeur ac wedi dioddef chwalfa a strôc. Ddaethon nhw o hyd i lyfr nodiadau yn ei fag, medden nhw, gyda cherdyn busnes ynddo a'r rhif ffôn yma ar y cefn. Byddai angen gofal hirdymor arno.

Roedd Joni'n eistedd mewn gwely wrth y ffenest. Roedd o'n edrych drwyddi pan gerddais i mewn. Edrychais innau hefyd. Rhyfedd, ond alla i ddim yn fy myw â chofio'r olygfa drwy'r ffenest honno. A oedd modd gweld Notre-Dame ohoni? Neu ddim ond pennau'r coed a chlwt o awyr las?

'Helo Joni,' medda fi.

Trodd i edrych arnaf fi.

Eisteddais wrth y gwely, a gofyn, 'Lle est ti?'

'I'r sinema,' meddai.

'Nage, y noson o'r blaen.'

'Ond pan nes i ddeffro yn y bore doedd hi ddim yno,' meddai, 'roedd pawb wedi mynd.'

Eisteddais, ac edrych i'w lygaid, a rhoi llaw ar ei fraich. Ond gwenu arna i wnaeth Joni. Yna estynnodd at y bwrdd wrth ei ymyl am ei lyfr nodiadau. Ohono estynnodd gerdyn y Cactus i mi.

'Fydda i ddim angen hwn rŵan,' meddai.

Yna edrychodd heibio i mi, allan at y ffenest honno nad ydw i'n cofio be ddiawl oedd i'w weld drwyddi, a faswn i'n licio gwybod, nid bod hynny o bwys, dim ond oherwydd bod Joni wedi edrych drwyddi, wedi dal i syllu dros f'ysgwydd, ac wrth wneud, peidiodd y wên, ac wylodd.

Codais, a mynd allan i smocio. Pan ddes i'n ôl roedd o'n cysgu. Estynnais am y llyfr nodiadau ac agor y clawr: *Ddes i yn f'ôl un noson lawog gan gamu oddi ar y trên efo dim byd ond rhif ffôn dienw, a'r teimlad annifyr o fod wedi byw'r noson honno o'r blaen. Doeddwn i ddim, wrth gwrs. Does dim byd yn digwydd ddwywaith. Petaen nhw, fyddai bywyd yn hawdd, yn byddai?* Darllenais ymlaen. Dechrau ei nofel, meddyliais. Yna, dwi ddim yn gwybod pam yn union, efallai er mwyn dileu'r noson honno, hwyrach er mwyn dileu Joni Zlatko, neu o bosib er mwyn ei adael gyda thudalen lân, mi rwygais y ddwy dudalen gyntaf o'r llyfr a'u gollwng i 'mhoced efo'r cerdyn o'r Cactus. Es i allan a gadael y llyfr nodiadau gwag ar y bwrdd.

Pan es i'n ôl yr eildro roedd Joni wedi mynd. Roedd o wedi rhyddhau ei hun. Es i ar f'union i Rue du Marché

Popincourt. Safais y tu allan fel y gwnaeth yntau, ac edrych ar y cwpl y buodd o'n syllu drwy'r ffenest arnyn nhw. Dieithriaid, bywydau eraill.

Pan ddaeth Anna yn ei hôl ddywedais i ddim byd, ond roedd hi'n gwybod bod rhywbeth o'i le. Felly, o'r diwedd, adroddais yr hanes wrthi, ond gan awgrymu fy mod i wedi egluro iddo fo y byddai hi yn ei hôl mewn ychydig ddyddiau, a 'mod i'n meddwl y byddai yntau'n aros. Pam na ffoniais i hi? roedd hi isio gwybod. Er mwyn peidio dy boeni di, medda fi; ond dwi ddim yn meddwl iddi erioed gredu hynny mewn gwirionedd. Felly dechreuodd Anna ffonio o gwmpas, ond wyddai neb ddim byd, nid Edward na Stéphane, neb yn y Cactus. Allan o euogrwydd, cerddais yn ddi-baid o gwmpas Belleville, y Marais, unrhyw le yn y ddinas allai fod â chysylltiad â Joni. Ond roedd hi'n rhy hwyr bellach. Pan godwn i'r peth efo Anna, edrychai arna i a dweud yn ddistaw, 'Dyna ni felly.'

Dyna ni. Ond arhosodd rhywbeth o Joni wedyn. Roedd o efo ni, rhyngon ni. Daeth yn haws i Anna a finna ddod o hyd i esgusion am weld ein gilydd fory yn hytrach na heddiw, gyda fory'n cilio ymhellach bob dydd. Pan oedden ni efo'n gilydd aeth y cyfnodau o ddistawrwydd yn hirach. Yna, un diwrnod yn y Buttes-Chaumont – diwedd Awst oedd hi – dywedodd ei bod hi'n meddwl mynd i'r Eidal. Roedd ffrind am rentu'r lle yn Rue Mandar. Falla byswn i'n medru mynd i'w gweld hi yn Rhufain, meddai. Digon teg, medda fi. Ond fues i erioed yn Rhufain.

19
Iestyn Llwyd

Yn oriau mân y bore – mae hwn ymysg un o gofnodion olaf ei ddyddiadur – mae'n ail-agor *On the Origin of Species* ar ddiwedd Pennod III, 'Struggle For Existence', sef y dudalen gyda'r staen coffi arni:

Gallwn gysuro ein hunain gyda'r gred – mae'n cyfieithu, oherwydd mae'n cyfieithu popeth bellach – nad yw brwydr natur yn ddi-baid, nad oes angen ofni, fod marwolaeth fel arfer yn brydlon, ac mai'r egnïol, yr iach a'r hapus sy'n goroesi.

Hapus. Yr un gair yna. Gair sy'n ymddangos o'i gynefin mewn trafodaeth ynglŷn â ffitrwydd a chryfder a detholiad naturiol. Gair bach pitw a aeth yn angof. Ond eto, efallai, y gair mwyaf addawol gan ei fod yn arf yn y frwydr fiolegol ddyddiol. Mae hapusrwydd yn offeryn ar gyfer goroesi, a llawenydd yn hanfodol ar gyfer bywyd, yn union fel dŵr a maeth a heulwen. Mae cyflwr ein henaid yn rhan o'r fathemateg, fel iechyd ein hesgyrn, sicrwydd yr ogof, cystadleuaeth ein cyd-ddyn a'r blaidd.

Syllodd ar y geiriau ar y sgrin o'i flaen. Yna, yn araf, edrychodd tua'r ffenest uwch ei ben, a gwelodd rywun nad oedd wedi'i weld ers blynyddoedd yn edrych yn ôl arno. A thu hwnt iddo, y tu hwnt iddo fo'i hun, gwelodd eto y llenni'n nofio ar awel hafaidd mewn ffenest agored, a chlywodd synau traffig ar stryd gerllaw, a gwelodd ei ffrind yn sefyll y tu allan ar y Rue du Marché Popincourt, ei ddwylo at ei geg yn galw ei enw.

Joni, roedd llais Simon yn ei ddweud. *Joni, wyt ti adra?*

* * *

Mi roedd o adra pan ffoniodd Simon Lewis flynyddoedd yn ddiweddarach, neu flynyddoedd yn ôl, pwy a ŵyr, efallai mai tric roedd amser yn ei chwarae oedd o, camgyfieithiad syml a barodd iddo godi'r ffôn a dweud:

'Ia?'

'Fi sy 'ma.'

Distawrwydd.

'Maddau i mi,' meddai Simon Lewis.

'Am be?'

'Am aros mor hir, cyn dod i chwilio amdanat ti. Am dy dwyllo di.'

'Dyma sut mae'r stori'n gorffen?'

'Mae hynny'n dibynnu arnat ti. Dy stori di ydy hi.'

Wnaeth Joni Zlatko ddim trafferthu canu'r gloch ym Mhlas Fictoria, dim ond gwthio'r drws ar agor a chamu o'r heulwen aeafol i'r cyntedd, agor y drws mewnol a dringo'r tri llawr at Rif 7. Canodd y gloch. Dim ateb. Estynnodd am y ddolen a'i throi: doedd y drws ddim ar glo. Agorodd o yn araf, arhosodd foment, yna camodd i'r fflat.

'Simon,' galwodd.

Dim ateb.

Cerddodd ar hyd y cyntedd at ddrws y lolfa a galw eto: 'Wyt ti yma?'

Llifai'r haul drwy'r ffenest o'i flaen i orwedd ar fwrdd a chadair mewn ystafell a oedd fel arall yn wag. Ar y bwrdd roedd amlen. Yn araf, cerddodd at y ffenest. Edrychodd heibio'r bwrdd at y bont a'r afon, yr orsedd yn y cae a'r bryniau gyferbyn lle roedd eira'r nos yn gorwedd dros wyrddni'r pinwydd. Tebyg iawn i'r olygfa o'r swyddfa, dim ond o ongl wahanol. Yna edrychodd i lawr ar y bwrdd a darllenodd yr enw ar yr amlen. *Joni Zlatko.*

Cododd hi, trodd hi rhwng ei ddwylo, yna yn gyflym agorodd hi. Edrychodd i mewn iddi cyn ei throi a llithro'i chynnwys ar y bwrdd. Syllodd arnyn nhw. Yn ogystal â'r tudalennau arferol roedd tri pheth arall: ffotograff, cerdyn post a cherdyn busnes. Cododd y cerdyn post. Llun o'r dref wedi'i dynnu o'r awyr, gyda'r dyffryn a'r afon a'r bont. Yn reddfol, trodd y cerdyn: roedd y cefn yn wag. Yna cododd y ffoto. Golygfa gyffredin stryd ym Mharis, gwaelod Belleville, gyda merch yn gwenu ar y camera, pobl yn cerdded heibio, eraill yn eistedd o flaen caffis, teuluoedd, gweinydd. Ac yn y cysgodion, wyneb o dan gap pig a gwallt hir, yn edrych allan i wydr y lens, rhywun roedd geiriau wedi'i atgyfodi, y cyfieithydd yn edrych i fyw ei lygaid ei hun. Eisteddodd. Yna cododd y cerdyn busnes: llun cactws mewn anialwch dan haul tanbaid, enw a chyfeiriad y bar. Trodd y cerdyn â llaw grynedig. Ar yr ochr arall, yn ei lawysgrifen ei hun, roedd rhif ffôn heb enw na chyfeiriad.

Syllodd drwy'r ffenest gan deimlo gwres yr haul drwy'r gwydr. Yna eisteddodd, cododd y tudalennau oedd yn weddill a dechreuodd ddarllen. O'r tu allan byddai unrhyw un a wyliai, o'r stryd, o gysgod y gastanwydden yr ochr draw i'r bont, efallai, neu rhwng y ffordd fawr a'r meini hirion, wedi gweld ffigwr dyn ymhlyg dros fwrdd wrth y ffenest, ei wefusau'n symud y mymryn lleiaf wrth ddarllen.

Mae'n bwysig dy fod ti'n deall fod y bywyd hwnnw wedi dod i ben i mi. Ro'n i'n rhywun arall bellach, yn union fel roeddet ti'n rhywun arall. A'r gwir ydy 'mod innau'n chwilio am y geiriau hefyd. Y geiriau a fyddai'n cyfleu be ddigwyddodd i mi, rheiny fyddai'n f'atgoffa i pwy oeddwn i, be gollwyd a'r hyn oedd ar ôl. Felly, ti'n gweld Joni, nid celwydd llwyr 'mo'r cyfieithu 'ma. Weithiau mae angen i bopeth oedi, mae'n rhaid i'r olwynion arafu a'r awyr lenwi eto â synau adar a rhediad y nant, er mwyn i ninnau aros hefyd, inni glywed curiad ein calon a mesur ein hunain yn y drych mawr. Ro'n i'n dweud y gwir, mewn ffordd. Ro'n innau d'angen di hefyd.

Dros y blynyddoedd llwyddais i ddarbwyllo fy hun nad oedd yr addewid a wnes i ti, i ddod i chwilio amdanat ti taset ti'n diflannu, i gwblhau dy stori petai'r geiriau'n drech na ti, yn ddim mwy na geiriau di-hid, rhywbeth mae rhywun yn ei ddweud. A dyna oedden nhw, i mi. Tan y llun. Nes imi dy weld di'n eistedd yno, yn y cysgodion ar waelod Belleville. Felly es i chwilio amdanat ti.

Paid byth â mynd yn ôl, medden nhw. Rwyt ti'n camu i fyd o atgofion a does neb yn byw yno ond ti. Ond pan nad oes gen ti 'run cartref, mi wnei di chwilio am un. Ac os oes rhaid mynd i'r gorffennol i ddod o hyd iddo, be wnei di? Felly yn ôl yr es i, gan anelu'n syth at y Marais.

Wrth gwrs, nid y Cactus oedd y Cactus mwyach. Do'n i ddim yn nabod neb yno, a neb yn fy nabod i. Sylwodd neb arna i'n gadael. Mewn glaw mân crwydrais yr ardal gan chwilio'r dorf a loetran ar gorneli'r strydoedd: gorsaf y Metro, yr ardal Iddewig, y Café Rambuteau. Ar y Quai de Jemmapes gwelais fod enw Edward Meadham wedi mynd oddi ar y gloch wrth y fynedfa, ond eisteddais ar lan y gamlas yr un fath gan edrych i fyny ar y ffenestri. Cofiais y tro cyntaf imi ganu'r gloch honno, a minnau heb gyfarfod Edward eto, cyn adnabod Joni Zlatko, yr ychydig ddyddiau hynny pan nad oedd dim ond fi ac Anna a Pharis. Ac yn fy mhen safais unwaith yn rhagor ar y balconi efo ti. Troais fy mhen i chwilio am yr awyr uwchben Sacré-Coeur.

Yn Rue du Marché Popincourt canais gloch y *concierge* a daeth hen wraig yn ei chwman at y drws. Eglurais fod hen ffrind i mi'n byw yma flynyddoedd yn ôl, yn fflat rhif tri.

'*Ah oui!*' meddai. '*Un monsieur anglais. Très gentil.*'

Roedd o wedi gadael ers blynyddoedd, meddai. Doedd o ddim yn dda. Bu rhyw helynt efo'r heddlu un noson, meddai.

'Oes gynnoch chi syniad i ble'r aeth o?'

'Nagoes,' meddai. 'Ond arhoswch. Mi adawodd o un peth yn y fflat.'

Diflannodd i'r cyntedd ac ychydig funudau'n ddiweddarach daeth yn ei hôl gyda rhywbeth yn ei llaw.

'Mae'r lle'n edrych mor braf, dydy?' Ac estynnodd y cerdyn post hwnnw o dref ar lan afon fyddai'n eistedd ar y radiator yn dy fflat di i mi. Hwnnw sydd o dy flaen di rŵan, Joni. 'Dwn i'm pam,' medda hi, 'do'n i ddim isio'i daflu fo. Waeth i chi fynd â fo. Ddaw neb yn ôl bellach.'

Felly be fedrwn i wneud ond mynd i Rue Mandar? Roedd Stéphane wedi clywed bod Anna ym Mharis, felly cerddais heibio ac edrych i fyny ar y ffenestri. Yn y caffi ar y gornel eisteddais yn y ffenest gan syllu ar ddrws Anna. Gwnes yr un fath y diwrnod wedyn. A dyna pryd gwelais i hi. Gwelais hi'n dod ar hyd Rue Montorgueil. Yr un Anna, yr un cerddediad, y gwallt yn disgyn dros ei thalcen a chôt fawr amdani. Yn brydferth, ond nid yn y ffordd arferol. Gwyliais wrth iddi droi'r gornel. Ond erbyn iddi agor ei drws a diflannu y tu mewn, mi wyddwn i'n iawn na fedrwn i ei dilyn. Sut fedrwn i ofyn i Anna sut i ddod o hyd i ti, Joni, pan mai fi a adawodd i ti fynd yn y lle cyntaf?

Y noson olaf honno es i'n ôl i'r Cactus. Ro'n i'n teimlo'r angen i gloi pethau, i gau'r cylch rywsut, i gyflawni rhyw fath o ddefod wrth gael un cwrw olaf wrth y cownter gan edrych allan ar Rue des Archives. Wrth sefyll yno edrychais ar y byrddau o dan y gwresogydd y tu allan. Ac yn sydyn cofiais un prynhawn yn arbennig. Dechrau'r haf oedd hi, yr un haf yr aethon ni i Menton. Wedi dod o'r Metro ro'n i ac yn mynd am adra pan welais i ti a Christophe yn eistedd ar y teras. Ddes i draw a gofyn i Manu am Pastis. Roedd Christophe yn siarad.

'Oes ots pwy ydan ni? O ble 'dan ni'n dod?' dywedai. 'Crwydriaid ydan ni i gyd yn y bôn. Dros wyneb y ddaear, mewn bywyd, mewn gwaith, mewn cariad. Chwilio am y sefyllfa sy'n gweddu orau, neu'r un sy'n lleia poenus. Chwilio am yr hyn y medrwn ni ddygymod â fo. Mae rhai ohonon ni'n dod o hyd i be 'dan ni'i angen yn gynnar mewn bywyd. Dydy eraill ddim hyd yn oed yn meddwl am y peth, a falla mai nhw ydy'r rhai ffodus. Ond teithio ydan ni, 'run fath. Hyd yn oed os nad ydan ni'n gadael ein milltir sgwâr.'

'A pryd mae'r daith yn dod i ben?' gofynnais, mor

ddiniwed ag arfer, wastad yn chwilio am y berlen, yn dal i eistedd wrth y môr efo fy nhaid, yr hen ŵr.

'Pan mae'r crwydryn a'r trigolyn yn dod yn un,' meddai Christophe. 'Pan 'dan ni'n fodlon.'

Chwarddais. 'Be ti'n feddwl, Joni?' medda fi, wrth i'r ddau ohonon ni droi.

Ond doeddet ti ddim yn gwrando bellach. Roeddet ti'n edrych allan i'r stryd. A dwi'n cofio meddwl na fyddet ti byth yn dod at ben y daith, byth yn fodlon. Mai'r chwilio yma oedd yr union beth oedd yn dy yrru di, y tir ansad dan dy draed, y synnwyr mai dros dro roedd hyn i gyd. Dy fod ti wrth dy fodd efo Paris yn union oherwydd na fyddai Paris yn para, yn union fel na fyddai'r haf yn para, na'r noson honno, na chwaith yr wynebau o dy flaen di. Ac efallai mai ti, Joni Zlatko, oedd yn iawn, wn i ddim. Ond dwi'n cofio'r noson honno. A chofio Christophe. A'r synnwyr anferthol o fod yn ifanc, wrth eistedd yno ddiwedd dydd yn chwythu'r llwch oddi ar hen syniadau gyda geiriau newydd, 'run ohonon ni'n meddwl pa liw fydden nhw yng ngolau'r lloer, nag am yr hyn y byddai amser yn ei wneud i ni.

Ddes i o hyd i'r enw Zlatko mewn hanes papur newydd lleol am ddamwain car. Roedd y gweddill yn hawdd. Cyrhaeddais y dref, safais wrth y bont, eisteddais ar y sgwâr gan wylio'r bobl a'r awyr a'r gwylanod o'r môr. Ac yna mi welais y dyn 'ma. Ffigwr a alwai ei hun yn Iestyn Llwyd. Felly gwyliais, o bell. Gwyliais o'n cerdded ar hyd glan yr afon, yn crwydro'r bryniau, yn sefyll wrth gromlech. Gwyliais drwy'r ffenest wrth iddo sefyll yn ei swyddfa â'i ddwylo yn ei bocedi gan wylio'r awyr. Gwelais o'n camu i lannerch yn y goedwig, yn cau ei lygaid yn llygad yr haul. Yn union fel y gwnaeth flynyddoedd ynghynt, mewn mynwent uwchben môr nad oedd o bellach yn ei gofio. Un tro, daliais ddrws siop iddo, a dywedais ei enw. Ond edrych arna i wnaeth o, a cherdded ymlaen.

Wrth gwrs, Joni, ystyriais sawl gwaith y dylwn adael iti fod. Ac ar ôl inni gyfarfod y bore hwnnw wrth y bont dywedais wrtha i fy hun eto nad fy lle i oedd aflonyddu ar y meirw. Roeddet ti bron â chyrraedd y nod. Dim ond bod yn rhaid i bopeth chwalu er mwyn iti ddiosg y geiriau a dileu dy hun. Yn sicr, petai gen ti fywyd newydd mewn lle arall, rhywle pell o yma, faswn i ddim wedi tarfu arnat ti. Ond dydy dyn sydd isio dileu ei orffennol ddim yn mynd adra. Ac wrth imi wylio, roedd fel petai 'na ddau berson mewn un: yr un a gerddai ar hyd stryd y dref fach hon, a'r ffigwr a grwydrodd strydoedd Paris, gyda'r naill ddim callach o bresenoldeb y llall. Neu, yn hytrach, roedden nhw'n synhwyro presenoldeb y naill a'r llall, ond roedd yr enwau'n ddieithr. A heb air i'w roi yn enw iddo does 'na ddim byd ond bwlch, rhywbeth y dymunir ei ddweud ond nad oes gynnon ni 'mo'r iaith i'w gyfleu. Dydan ni ddim yn gwybod be 'dan ni wedi'i golli nes inni'i gael o'n ôl.

Felly cymerais fflat yn y dref, ac eisteddais wrth y bwrdd a'r ffenest lle rwyt ti'n eistedd rŵan. A dechrau sgwennu, dechrau cofio. Enwa fwganod ac mi gei di gip arnyn nhw eto. O bwy oedden ni, o bwy ydan ni. Heb ein geiriau, heb enwau, 'dan ni'n neb. Ysbrydion yng nghyntedd y gorffennol, yn aros i gael ein galw'n ôl, bodau anghyflawn wrth droed y grisiau. Ti ddywedodd hynny wrtha i.

Dwi'n gobeithio y byddi di'n medru maddau'r twyll i mi. Pob un ohonyn nhw. Ond dyma fy ngeiriau i, sydd hefyd yn eiriau i ti. Gwna efo nhw fel ag y mynni. Mi gymera i nhw'n ôl os wnân nhw 'mo'r tro. Ond mae'r rhif ffôn yn dal i weithio, mae o'n dal i dy gael di i Rue Mandar. Mae'r ffôn yn canu ers blynyddoedd. Falla bydd y person iawn yn ateb y tro yma.

Cododd Joni Zlatko ei ben ac edrych ar yr haul a ddisgleiriai dros y dyffryn gan oleuo'r coed ar y llethrau gyferbyn. Roedd o'n eistedd yno ers oriau, ond rŵan sylweddolodd fod y cyfieithiad wedi dod i ben. A'r stori? Oedd honno wedi gorffen? Doedd straeon byth yn gorffen, meddyliodd. Maen nhw'n parhau, yn rhedeg hebddon ni, ac er ein gwaethaf ni. Yr un straeon, yr un bywydau, dro ar ôl tro. A meddyliodd fod popeth, wedi'r cwbl, yn digwydd ddwywaith. Dim ond nad ydy pethau byth yn union yr un fath. Ac os ydyn nhw, dydan ni ddim.

Edrychodd ar y pethau ar y bwrdd o'i flaen. Yna, fel petai'n sylwi arno am y tro cyntaf, edrychodd ar y ffôn. Cododd y cerdyn o'r Cactus, a syllodd yn hir ar y rhif ar y cefn. O'r diwedd rhoddodd y cerdyn ym mhoced ei gôt. O boced arall estynnodd ei lyfr nodiadau a'i osod ar y bwrdd gyda phopeth arall. Yna cododd Joni Zlatko, neu Iestyn Llwyd, neu'r cyfieithydd, gallai fod yn unrhyw un, a cherdded o'r ystafell gyda dim byd ond rhif ffôn a'r teimlad rhyfedd o fod wedi byw y foment hon o'r blaen, allan drwy ddrws y fflat ac i lawr y grisiau i'r stryd. Croesodd y bont a cherddodd i'r goedwig. Ac yno, gwelodd yr haul isel yn treiddio drwy'r coed gan ddisgleirio ar y clytiau o rew nes bod heulwen olaf y dydd yn disgyn ar ei wyneb ac yn tanio gwaddodion y dail oedd yn wlith euraidd ar y llwybr o'i flaen, yn ei arwain ymlaen, yn ei gymell. A phetai'n gweld rhywun, meddyliodd, petai rhywun yn ei holi, byddai'n dweud ei fod yn mynd i chwilio am rywun roedd o'n arfer ei nabod, roedd o bron iawn adra rŵan, fyddai o ddim yn hir.

Ond welodd o neb.